AMO[illegible]

La alegría del amor

Colección

Documentos Eclesiales

ALÉGRENSE. *Congregación para los Institutos de Vida Consagrada y las Sociedades de Vida Apostólica*

ANUNCIO DEL EVANGELIO HOY. *Pablo VI. (Guía de lectura).*

AÑO SACERDOTAL. *Documentos de Benedicto XVI y Juan XXIII.*

CARTA APOSTÓLICA A TODOS LOS CONSAGRADOS. *Francisco.*

CARTA APOSTÓLICA «MOTU PROPRIO» *Mitis Iudex Dominus Iesus. Francisco.*

CARTA APOSTÓLICA OCTOGESIMA ADVENIENS. *Pablo VI. (Guía de lectura).*

CARTA APOSTÓLICA PORTA FÍDEI. *Benedicto XVI.*

CARTA ENCÍCLICA CARITAS IN VERITATE. *Benedicto XVI.*

CARTA ENCÍCLICA DEUS CARITAS EST. *Benedicto XVI.*

CARTA ENCÍCLICA LAUDATO SI'. *Francisco.*

CARTA ENCÍCLICA LUMEN FIDEI. *Francisco.*

CARTA ENCÍCLICA MATER ET MAGISTRA. *Juan XXIII. (Guía de lectura).*

CARTA ENCÍCLICA PACEM IN TERRIS. *Juan XXIII. (Guía de lectura).*

CARTA ENCÍCLICA POPULORUM PROGRESSIO. *Pablo VI. (Guía de lectura).*

CARTA ENCÍCLICA QUADRAGESIMO ANNO. *Pío XI. (Guía de lectura).*

CARTA ENCÍCLICA RERUM NOVARUM . *León XIII. (Guía de lectura).*

CARTA ENCÍCLICA SPE SALVI. *Benedicto XVI.*

CELEBRACIONES PARA EL AÑO DE LA FE. *Pontificio Consejo para la promoción de la Nueva Evangelización.*

EL SACERDOTE - CONFESOR Y DIRECTOR ESPIRITUAL MINISTRO DE LA MISERICORDIA DIVINA. *Congregación para el Clero.*

ESCRUTEN. *Congregación para los Institutos de Vida Consagrada y las Sociedades de Vida Apostólica*

EXHORTACIÓN APOSTÓLICA AMORIS LÆTITIA. *Francisco.*

EXHORTACIÓN APOSTÓLICA CHRISTIFIDELES LAICI. *Juan Pablo II. (Guía de lectura).*

EXHORTACIÓN APOSTÓLICA EVANGELII GAUDIUM. *Francisco.*

EXHORTACIÓN APOSTÓLICA FAMILIARIS CONSORTIO. *Juan Pablo II. (Guía de lectura).*

EXHORTACIÓN APOSTÓLICA SACRAMENTUM CARITATIS. *Benedicto XVI.*

EXHORTACIÓN APOSTÓLICA POST-SINODAL VERBUM DOMINI. *Benedicto XVI.*

LA VOCACIÓN Y LA MISIÓN DE LA FAMILIA EN LA IGLESIA Y EN EL MUNDO CONTEMPORÁNEO *XIV Asamblea General Ordinaria, Sínodo de los Obispos. Instrumentum Laboris.*

LA VOCACIÓN Y LA MISIÓN DE LA FAMILIA EN LA IGLESIA Y EN EL MUNDO CONTEMPORÁNEO *Relación final del Sínodo de los Obispos al Santo Padre Francisco.*

MISERICORDIAE VULTUS. EL ROSTRO DE LA MISERICORDIA. *Francisco.*

Franciscus

AMORIS LÆTITIA

La alegría del amor

Librería Católica Shalom.
www. Shalombooksny.com
SHALOM
Libros • Videos • CD • Artículos Religiosos.
VENTAS AL POR MAYOR Y AL DETAL.
49-08 Skillman Avenue • Woodside, NY 11377 • Tel (718) 639-3145
64 Guy Lombardo Avenue • Freeport, NY 11520 • Tel (516) 377-1121

Título
Amoris lætitia

Título traducido
La alegría del amor

Autor
Papa Francisco

ISBN
978-958-768-395-0

© Libreria Editrice Vaticana
Ciudad del Vaticano

1a. edición, 2016
Queda hecho el depósito legal según
Ley 44 de 1993 y Decreto 460 de 1995

© SAN PABLO
Carrera 46 No. 22A-90
Tel.: 3682099 – *Fax:* 2443943
E-mail: editorial@sanpablo.co
www.sanpablo.co

Distribución: Departamento de Ventas
Calle 17A No. 69-67
Tel.: 4114011 – *Fax:* 4114000
E-mail: direccioncomercial@sanpablo.co

BOGOTÁ – COLOMBIA

EXHORTACIÓN APOSTÓLICA POSTSINODAL

AMORIS LÆTITIA

DEL SANTO PADRE

FRANCISCO

A LOS OBISPOS
A LOS PRESBÍTEROS Y DIÁCONOS
A LAS PERSONAS CONSAGRADAS
A LOS ESPOSOS CRISTIANOS
Y A TODOS LOS FIELES LAICOS
SOBRE
EL AMOR EN LA FAMILIA

1. La alegría del amor que se vive en las familias es también el júbilo de la Iglesia. Como han indicado los Padres sinodales, a pesar de las numerosas señales de crisis del matrimonio, «el deseo de familia permanece vivo, especialmente entre los jóvenes, y esto motiva a la Iglesia».[1] Como respuesta a ese anhelo «el anuncio cristiano relativo a la familia es verdaderamente una buena noticia».[2]

2. El camino sinodal permitió poner sobre la mesa la situación de las familias en el mundo actual, ampliar nuestra mirada y reavivar nuestra conciencia sobre la importancia del matrimonio y la familia. Al mismo tiempo, la complejidad de los temas planteados nos mostró la necesidad de seguir profundizando con libertad algunas cuestiones doctrinales, morales, espirituales y pastorales. La reflexión de los pastores y teólogos, si es fiel a

---

[1] III Asamblea General Extraordinaria del Sínodo de los Obispos, *Relatio synodi* (18 octubre 2014), 2.

[2] XIV Asamblea General Ordinaria del Sínodo de los Obispos, *Relación final* (24 octubre 2015), 3.

la Iglesia, honesta, realista y creativa, nos ayudará a encontrar mayor claridad. Los debates que se dan en los medios de comunicación o en publicaciones, y aun entre ministros de la Iglesia, van desde un deseo desenfrenado de cambiar todo sin suficiente reflexión o fundamentación, a la actitud de pretender resolver todo aplicando normativas generales o derivando conclusiones excesivas de algunas reflexiones teológicas.

3. Recordando que el tiempo es superior al espacio, quiero reafirmar que no todas las discusiones doctrinales, morales o pastorales deben ser resueltas con intervenciones magisteriales. Naturalmente, en la Iglesia es necesaria una unidad de doctrina y de praxis, pero ello no impide que subsistan diferentes maneras de interpretar algunos aspectos de la doctrina o algunas consecuencias que se derivan de ella. Esto sucederá hasta que el Espíritu nos lleve a la verdad completa (cf. *Jn* 16, 13), es decir, cuando nos introduzca perfectamente en el misterio de Cristo y podamos ver todo con su mirada. Además, en cada país o región se pueden buscar soluciones más inculturadas, atentas a las tradiciones y a los desafíos locales, porque «las culturas son muy diferentes entre sí y todo

principio general [...] necesita ser inculturado si quiere ser observado y aplicado».[3]

4. De cualquier manera, debo decir que el camino sinodal ha contenido una gran belleza y ha brindado mucha luz. Agradezco tantos aportes que me han ayudado a contemplar los problemas de las familias del mundo en toda su amplitud. El conjunto de las intervenciones de los Padres, que escuché con constante atención, me ha parecido un precioso poliedro, conformado por muchas legítimas preocupaciones y por preguntas honestas y sinceras. Por ello consideré adecuado redactar una Exhortación apostólica postsinodal que recoja los aportes de los dos recientes Sínodos sobre la familia, agregando otras consideraciones que puedan orientar la reflexión, el diálogo o la praxis pastoral y, a la vez, ofrezcan aliento, estímulo y ayuda a las familias en su entrega y en sus dificultades.

5. Esta Exhortación adquiere un sentido especial en el contexto de este Año Jubilar de la Misericordia. En primer lugar, porque la entiendo

---

[3] *Discurso en la clausura de la XIV Asamblea General Ordinaria del Sínodo de los Obispos* (24 octubre 2015): *L'Osservatore Romano*, ed. semanal en lengua española, 30 de octubre de 2015, p. 4; cf. Pontificia Comisión Bíblica, *Fe y cultura a la luz de la Biblia. Actas de la Sesión plenaria 1979 de la Pontificia Comisión Bíblica*, Turín 1981; Conc. Ecum. Vat. II, Const. past. *Gaudium et spes*, sobre la Iglesia en el mundo actual, 44; Juan Pablo II, Carta enc. *Redemptoris missio* (7 diciembre 1990), 52: *AAS* 83 (1991), 300; Exhort. ap. *Evangelii gaudium* (24 noviembre 2013), 69.117: *AAS* 105 (2013), 1049.1068-69.

como una propuesta para las familias cristianas, que las estimule a valorar los dones del matrimonio y de la familia, y a sostener un amor fuerte y lleno de valores como la generosidad, el compromiso, la fidelidad o la paciencia. En segundo lugar, porque procura alentar a todos para que sean signos de misericordia y cercanía allí donde la vida familiar no se realiza perfectamente o no se desarrolla con paz y gozo.

6. En el desarrollo del texto, comenzaré con una apertura inspirada en las Sagradas Escrituras, que otorgue un tono adecuado. A partir de allí, consideraré la situación actual de las familias en orden a mantener los pies en la tierra. Después recordaré algunas cuestiones elementales de la enseñanza de la Iglesia sobre el matrimonio y la familia, para dar lugar así a los dos capítulos centrales, dedicados al amor. A continuación destacaré algunos caminos pastorales que nos orienten a construir hogares sólidos y fecundos según el plan de Dios, y dedicaré un capítulo a la educación de los hijos. Luego me detendré en una invitación a la misericordia y al discernimiento pastoral ante situaciones que no responden plenamente a lo que el Señor nos propone, y por último plantearé breves líneas de espiritualidad familiar.

7. Debido a la riqueza de los dos años de reflexión que aportó el camino sinodal, esta Exhortación

aborda, con diferentes estilos, muchos y variados temas. Eso explica su inevitable extensión. Por eso no recomiendo una lectura general apresurada. Podrá ser mejor aprovechada, tanto por las familias como por los agentes de pastoral familiar, si la profundizan pacientemente parte por parte o si buscan en ella lo que puedan necesitar en cada circunstancia concreta. Es probable, por ejemplo, que los matrimonios se identifiquen más con los capítulos cuarto y quinto, que los agentes de pastoral tengan especial interés en el capítulo sexto, y que todos se vean muy interpelados por el capítulo octavo. Espero que cada uno, a través de la lectura, se sienta llamado a cuidar con amor la vida de las familias, porque ellas «no son un problema, son principalmente una oportunidad».[4]

---

[4] *Discurso en el Encuentro con las Familias de Santiago de Cuba* (22 septiembre 2015): *L'Osservatore Romano*, ed. semanal en lengua española, 25 de septiembre de 2015, p. 12.

CAPÍTULO PRIMERO

A LA LUZ DE LA PALABRA

8. La Biblia está poblada de familias, de generaciones, de historias de amor y de crisis familiares, desde la primera página, donde entra en escena la familia de Adán y Eva con su peso de violencia pero también con la fuerza de la vida que continúa (cf. *Gn* 4), hasta la última página donde aparecen las bodas de la Esposa y del Cordero (cf. *Ap* 21, 2.9). Las dos casas que Jesús describe, construidas sobre roca o sobre arena (cf. *Mt* 7, 24-27), son expresión simbólica de tantas situaciones familiares, creadas por las libertades de sus miembros, porque, como escribía el poeta, «toda casa es un candelabro».[1] Entremos ahora en una de esas casas, guiados por el Salmista, a través de un canto que todavía hoy se proclama tanto en la liturgia nupcial judía como en la cristiana:

«¡Dichoso el que teme al Señor,
y sigue sus caminos!
Del trabajo de tus manos comerás,
serás dichoso, te irá bien.

---

[1] Jorge Luis Borges, «Calle desconocida», en *Fervor de Buenos Aires*, Buenos Aires 2011, 23.

Tu esposa, como parra fecunda,
en medio de tu casa;
tus hijos como brotes de olivo,
alrededor de tu mesa.
Esta es la bendición del hombre
que teme al Señor.
Que el Señor te bendiga desde Sion,
que veas la prosperidad de Jerusalén,
todos los días de tu vida;
que veas a los hijos de tus hijos.
¡Paz a Israel!» (*Sal* 128,1-6).

TÚ Y TU ESPOSA

9. Atravesemos entonces el umbral de esta casa serena, con su familia sentada en torno a la mesa festiva. En el centro encontramos la pareja del padre y de la madre con toda su historia de amor. En ellos se realiza aquel designio primordial que Cristo mismo evoca con intensidad: «¿No han leído que el Creador en el principio los creó hombre y mujer?» (*Mt* 19, 4). Y se retoma el mandato del Génesis: «Por eso abandonará el hombre a su padre y a su madre, se unirá a su mujer y serán los dos una sola carne» (2, 24).

10. Los dos grandiosos primeros capítulos del *Génesis* nos ofrecen la representación de la pareja humana en su realidad fundamental. En ese texto inicial de la Biblia brillan algunas afirmaciones

decisivas. La primera, citada sintéticamente por Jesús, declara: «Dios creó al hombre a su imagen, a imagen de Dios lo creó, varón y mujer los creó» (1, 27). Sorprendentemente, la «imagen de Dios» tiene como paralelo explicativo precisamente a la pareja «hombre y mujer». ¿Significa esto que Dios mismo es sexuado o que con él hay una compañera divina, como creían algunas religiones antiguas? Obviamente no, porque sabemos con cuánta claridad la Biblia rechazó como idolátricas estas creencias difundidas entre los cananeos de la Tierra Santa. Se preserva la trascendencia de Dios, pero, puesto que es al mismo tiempo el Creador, la fecundidad de la pareja humana es «imagen» viva y eficaz, signo visible del acto creador.

11. La pareja que ama y genera la vida es la verdadera «escultura» viviente —no aquella de piedra u oro que el Decálogo prohíbe—, capaz de manifestar al Dios creador y salvador. Por eso el amor fecundo llega a ser el símbolo de las realidades íntimas de Dios (cf. *Gn* 1, 28; 9, 7; 17, 2-5.16; 28, 3; 35, 11; 48, 3-4). A esto se debe el que la narración del *Génesis*, siguiendo la llamada «tradición sacerdotal», esté atravesada por varias secuencias genealógicas (cf. 4, 17-22.25-26; 5; 10; 11, 10-32; 25, 1-4.12-17.19-26; 36), porque la capacidad de generar de la pareja humana es el camino por el cual se desarrolla la historia de la salvación. Bajo

esta luz, la relación fecunda de la pareja se vuelve una imagen para descubrir y describir el misterio de Dios, fundamental en la visión cristiana de la Trinidad que contempla en Dios al Padre, al Hijo y al Espíritu de amor. El Dios Trinidad es comunión de amor, y la familia es su reflejo viviente. Nos iluminan las palabras de san Juan Pablo II: «Nuestro Dios, en su misterio más íntimo, no es una soledad, sino una familia, puesto que lleva en sí mismo paternidad, filiación y la esencia de la familia que es el amor. Este amor, en la familia divina, es el Espíritu Santo».[2] La familia no es pues algo ajeno a la misma esencia divina.[3] Este aspecto trinitario de la pareja tiene una nueva representación en la teología paulina cuando el Apóstol la relaciona con el «misterio» de la unión entre Cristo y la Iglesia (cf. *Ef* 5, 21-33).

12. Pero Jesús, en su reflexión sobre el matrimonio, nos remite a otra página del *Génesis*, el capítulo 2, donde aparece un admirable retrato de la pareja con detalles luminosos. Elijamos sólo dos. El primero es la inquietud del varón que busca «una ayuda recíproca» (vv. 18.20), capaz de resolver esa soledad que le perturba y que no es aplacada por la cercanía de los animales y de todo lo creado. La

---

[2] *Homilía en la Eucaristía celebrada en Puebla de los Ángeles* (28 enero 1979), 2: *AAS* 71 (1979), 184.

[3] Cf. *ibíd.*

expresión original hebrea nos remite a una relación directa, casi «frontal» —los ojos en los ojos— en un diálogo también tácito, porque en el amor los silencios suelen ser más elocuentes que las palabras. Es el encuentro con un rostro, con un «tú» que refleja el amor divino y es «el comienzo de la fortuna, una ayuda semejante a él y una columna de apoyo» (*Si* 36, 24), como dice un sabio bíblico. O bien, como exclamará la mujer del *Cantar de los Cantares* en una estupenda profesión de amor y de donación en la reciprocidad: «Mi amado es mío y yo suya [...] Yo soy para mi amado y mi amado es para mí» (2, 16; 6, 3).

13. De este encuentro, que sana la soledad, surgen la generación y la familia. Este es el segundo detalle que podemos destacar: Adán, que es también el hombre de todos los tiempos y de todas las regiones de nuestro planeta, junto con su mujer, da origen a una nueva familia, como repite Jesús citando el *Génesis*: «Se unirá a su mujer, y serán los dos una sola carne» (*Mt* 19, 5; cf. *Gn* 2, 24). El verbo «unirse» en el original hebreo indica una estrecha sintonía, una adhesión física e interior, hasta el punto que se utiliza para describir la unión con Dios: «Mi alma está unida a ti» (*Sal* 63, 9), canta el orante. Se evoca así la unión matrimonial no solamente en su dimensión sexual y corpórea sino también en su donación voluntaria

de amor. El fruto de esta unión es «ser una sola carne», sea en el abrazo físico, sea en la unión de los corazones y de las vidas y, quizá, en el hijo que nacerá de los dos, el cual llevará en sí, uniéndolas no sólo genéticamente sino también espiritualmente, las dos «carnes».

Tus hijos como brotes de olivo

14. Retomemos el canto del salmista. Allí aparecen, dentro de la casa donde el hombre y su esposa están sentados a la mesa, los hijos que los acompañan «como brotes de olivo» (*Sal* 128, 3), es decir, llenos de energía y de vitalidad. Si los padres son como los fundamentos de la casa, los hijos son como las «piedras vivas» de la familia (cf. *1P* 2, 5). Es significativo que en el Antiguo Testamento la palabra que aparece más veces después de la divina (YHWH, el «Señor») es «hijo» (*ben*), un vocablo que remite al verbo hebreo que significa «construir» (*banah*). Por eso, en el Salmo 127 se exalta el don de los hijos con imágenes que se refieren tanto a la edificación de una casa, como a la vida social y comercial que se desarrollaba en la puerta de la ciudad: «Si el Señor no construye la casa, en vano se cansan los albañiles; la herencia que da el Señor son los hijos; su salario, el fruto del vientre: son saetas en mano de un guerrero los hijos de la juventud; dichoso el hombre que llena

con ellas su aljaba: no quedará derrotado cuando litigue con su adversario en la plaza» (vv. 1.3-5). Es verdad que estas imágenes reflejan la cultura de una sociedad antigua, pero la presencia de los hijos es de todos modos un signo de plenitud de la familia en la continuidad de la misma historia de salvación, de generación en generación.

15. Bajo esta luz podemos recoger otra dimensión de la familia. Sabemos que en el Nuevo Testamento se habla de «la iglesia que se reúne en la casa» (cf. *1Co* 16, 19; *Rm* 16, 5; *Col* 4, 15; *Flm* 2). El espacio vital de una familia se podía transformar en iglesia doméstica, en sede de la Eucaristía, de la presencia de Cristo sentado a la misma mesa. Es inolvidable la escena pintada en el *Apocalipsis*: «Estoy a la puerta llamando: si alguien oye y me abre, entraré y comeremos juntos» (3, 20). Así se delinea una casa que lleva en su interior la presencia de Dios, la oración común y, por tanto, la bendición del Señor. Es lo que se afirma en el Salmo 128 que tomamos como base: «Que el Señor te bendiga desde Sion» (v. 5).

16. La Biblia considera también a la familia como la sede de la catequesis de los hijos. Eso brilla en la descripción de la celebración pascual (cf. *Ex* 12, 26-27; *Dt* 6, 20-25), y luego fue explicitado en la *haggadah* judía, o sea, en la narración dialógica que acompaña el rito de la cena pascual. Más

aún, un Salmo exalta el anuncio familiar de la fe: «Lo que oímos y aprendimos, lo que nuestros padres nos contaron, no lo ocultaremos a sus hijos, lo contaremos a la futura generación: las alabanzas del Señor, su poder, las maravillas que realizó. Porque Él estableció una norma para Jacob, dio una ley a Israel: Él mandó a nuestros padres que lo enseñaran a sus hijos, para que lo supiera la generación siguiente, y los hijos que nacieran después. Que surjan y lo cuenten a sus hijos» (*Sal* 78, 3-6). Por lo tanto, la familia es el lugar donde los padres se convierten en los primeros maestros de la fe para sus hijos. Es una tarea artesanal, de persona a persona: «Cuando el día de mañana tu hijo te pregunte [...] le responderás...» (*Ex* 13, 14). Así, las distintas generaciones entonarán su canto al Señor, «los jóvenes y también las doncellas, los viejos junto con los niños» (*Sal* 148, 12).

17. Los padres tienen el deber de cumplir con seriedad su misión educadora, como enseñan a menudo los sabios bíblicos (cf. *Pr* 3, 11-12; 6, 20-22; 13, 1; 22, 15; 23, 13-14; 29, 17). Los hijos están llamados a acoger y practicar el mandamiento: «Honra a tu padre y a tu madre» (*Ex* 20, 12), donde el verbo «honrar» indica el cumplimiento de los compromisos familiares y sociales en su plenitud, sin descuidarlos con excusas religiosas (cf. Mc 7, 11-13). En efecto, «el que honra a su

padre expía sus pecados, el que respeta a su madre acumula tesoros» (*Si* 3, 3-4).

18. El Evangelio nos recuerda también que los hijos no son una propiedad de la familia, sino que tienen por delante su propio camino de vida. Si es verdad que Jesús se presenta como modelo de obediencia a sus padres terrenos, sometiéndose a ellos (cf. *Lc* 2, 51), también es cierto que Él muestra que la elección de vida del hijo y su misma vocación cristiana pueden exigir una separación para cumplir con su propia entrega al Reino de Dios (cf. *Mt* 10, 34-37; *Lc* 9, 59-62). Es más, Él mismo a los doce años responde a María y a José que tiene otra misión más alta que cumplir más allá de su familia histórica (cf. *Lc* 2, 48-50). Por eso exalta la necesidad de otros lazos, muy profundos también dentro de las relaciones familiares: «Mi madre y mis hermanos son estos: los que escuchan la Palabra de Dios y la ponen por obra» (*Lc* 8, 21). Por otra parte, en la atención que Él presta a los niños —considerados en la sociedad del antiguo Oriente próximo como sujetos sin particulares derechos e incluso como objeto de posesión familiar— Jesús llega al punto de presentarlos a los adultos casi como maestros, por su confianza simple y espontánea ante los demás: «En verdad les digo que si no se convierten y se hacen como niños, no entrarán en el Reino

de los cielos. Por lo tanto, el que se haga pequeño como este niño, ese es el más grande en el Reino de los cielos» (*Mt* 18, 3-4).

UN SENDERO DE SUFRIMIENTO Y DE SANGRE

19. El idilio que manifiesta el Salmo 128 no niega una realidad amarga que marca todas las Sagradas Escrituras. Es la presencia del dolor, del mal, de la violencia que rompen la vida de la familia y su íntima comunión de vida y de amor. Por algo el discurso de Cristo sobre el matrimonio (cf. *Mt* 19, 3-9) está inserto dentro de una disputa sobre el divorcio. La Palabra de Dios es testimonio constante de esta dimensión oscura que se abre ya en los inicios cuando, con el pecado, la relación de amor y de pureza entre el varón y la mujer se transforma en un dominio: «Tendrás ansia de tu marido, y él te dominará» (*Gn* 3, 16).

20. Es un sendero de sufrimiento y de sangre que atraviesa muchas páginas de la Biblia, a partir de la violencia fratricida de Caín sobre Abel y de los distintos litigios entre los hijos y entre las esposas de los patriarcas Abrahán, Isaac y Jacob, llegando luego a las tragedias que llenan de sangre a la familia de David, hasta las múltiples dificultades familiares que surcan la narración de Tobías o la amarga confesión de Job abandonado: «Ha alejado de mí a mis parientes, mis conocidos me

tienen por extraño [...] Hasta mi vida repugna a mi esposa, doy asco a mis propios hermanos» (*Jb* 19, 13.17).

21. Jesús mismo nace en una familia modesta que pronto debe huir a una tierra extranjera. Él entra en la casa de Pedro donde su suegra está enferma (*Mc* 1, 30-31), se deja involucrar en el drama de la muerte en la casa de Jairo o en el hogar de Lázaro (cf. *Mc* 5, 22-24.35-43); escucha el grito desesperado de la viuda de Naín ante su hijo muerto (cf. *Lc* 7, 11-15), atiende el clamor del padre del epiléptico en un pequeño pueblo del campo (cf. *Mt* 9, 9-13; *Lc* 19,1-10. Encuentra a publicanos como Mateo o Zaqueo en sus propias casas, y también a pecadoras, como la mujer que irrumpe en la casa del fariseo (cf. *Lc* 7, 36-50). Conoce las ansias y las tensiones de las familias incorporándolas en sus parábolas: desde los hijos que dejan sus casas para intentar alguna aventura (cf. *Lc* 15, 11-32) hasta los hijos difíciles con comportamientos inexplicables (cf. *Mt* 21, 28-31) o víctimas de la violencia (cf. *Mc* 12, 1-9). Y se interesa incluso por las bodas que corren el riesgo de resultar bochornosas por la ausencia de vino (cf. *Jn* 2, 1-10) o por falta de asistencia de los invitados (cf. *Mt* 22, 1-10), así como conoce la pesadilla por la pérdida de una moneda en una familia pobre (cf. *Lc* 15, 8-10).

22. En este breve recorrido podemos comprobar que la Palabra de Dios no se muestra como una secuencia de tesis abstractas, sino como una compañera de viaje también para las familias que están en crisis o en medio de algún dolor, y les muestra la meta del camino, cuando Dios «enjugará las lágrimas de sus ojos. Ya no habrá muerte, ni luto, ni llanto, ni dolor» (*Ap* 21, 4).

La fatiga de tus manos

23. Al comienzo del Salmo 128, el padre es presentado como un trabajador, quien con la obra de sus manos puede sostener el bienestar físico y la serenidad de su familia: «Comerás del trabajo de tus manos, serás dichoso, te irá bien» (v. 2). Que el trabajo sea una parte fundamental de la dignidad de la vida humana se deduce de las primeras páginas de la Biblia, cuando se declara que «Dios tomó al hombre y lo colocó en el jardín de Edén, para que lo guardara y lo cultivara» (*Gn* 2, 15). Es la representación del trabajador que transforma la materia y aprovecha las energías de lo creado, dando luz al «pan de sus sudores» (*Sal* 127, 2), además de cultivarse a sí mismo.

24. El trabajo hace posible al mismo tiempo el desarrollo de la sociedad, el sostenimiento de la familia y también su estabilidad y su fecundidad: «Que veas la prosperidad de Jerusalén todos los

días de tu vida; que veas a los hijos de tus hijos» (*Sal* 128, 5-6). En el libro de los *Proverbios* también se hace presente la tarea de la madre de familia, cuyo trabajo se describe en todas sus particularidades cotidianas, atrayendo la alabanza del esposo y de los hijos (cf. 31, 10-31). El mismo apóstol Pablo se mostraba orgulloso de haber vivido sin ser un peso para los demás, porque trabajó con sus manos y así se aseguró el sustento (cf. *Hch* 18, 3; *1Co* 4, 12; 9, 12). Tan convencido estaba de la necesidad del trabajo, que estableció una férrea norma para sus comunidades: «Si alguno no quiere trabajar, que no coma» (*2Ts* 3, 10; cf. *1Ts* 4, 11).

25. Dicho esto, se comprende que la desocupación y la precariedad laboral se transformen en sufrimiento, como se hace notar en el librito de Rut y como recuerda Jesús en la parábola de los trabajadores sentados, en un ocio forzado, en la plaza del pueblo (cf. *Mt* 20, 1-16), o cómo Él lo experimenta en el mismo hecho de estar muchas veces rodeado de menesterosos y hambrientos. Es lo que la sociedad está viviendo trágicamente en muchos países, y esta ausencia de fuentes de trabajo afecta de diferentes maneras a la serenidad de las familias.

26. Tampoco podemos olvidar la degeneración que el pecado introduce en la sociedad cuando el ser humano se comporta como tirano

ante la naturaleza, devastándola, usándola de modo egoísta y hasta brutal. Las consecuencias son al mismo tiempo la desertificación del suelo (cf. *Gn* 3, 17-19) y los desequilibrios económicos y sociales, contra los cuales se levanta con claridad la voz de los profetas, desde Elías (cf. *1R* 21) hasta llegar a las palabras que el mismo Jesús pronuncia contra la injusticia (cf. *Lc* 12, 13-21; 16, 1-31).

La ternura del abrazo

27. Cristo ha introducido como emblema de sus discípulos sobre todo la ley del amor y del don de sí a los demás (cf. *Mt* 22, 39; *Jn* 13, 34), y lo hizo a través de un principio que un padre o una madre suelen testimoniar en su propia existencia: «Nadie tiene amor más grande que el que da la vida por sus amigos» (*Jn* 15, 13). Fruto del amor son también la misericordia y el perdón. En esta línea, es muy emblemática la escena que muestra a una adúltera en la explanada del templo de Jerusalén, rodeada de sus acusadores, y luego sola con Jesús que no la condena y la invita a una vida más digna (cf. *Jn* 8, 1-11).

28. En el horizonte del amor, central en la experiencia cristiana del matrimonio y de la familia, se destaca también otra virtud, algo ignorada en estos tiempos de relaciones frenéticas y

superficiales: la ternura. Acudamos al dulce e intenso Salmo 131. Como se advierte también en otros textos (cf. *Ex* 4, 22; *Is* 49, 15; *Sal* 27, 10), la unión entre el fiel y su Señor se expresa con rasgos del amor paterno o materno. Aquí aparece la delicada y tierna intimidad que existe entre la madre y su niño, un recién nacido que duerme en los brazos de su madre después de haber sido amamantado. Se trata —como lo expresa la palabra hebrea *gamul*— de un niño ya destetado, que se aferra conscientemente a la madre que lo lleva en su pecho. Es entonces una intimidad consciente y no meramente biológica. Por eso el salmista canta: «Tengo mi interior en paz y en silencio, como un niño destetado en el regazo de su madre» (*Sal* 131, 2). De modo paralelo, podemos acudir a otra escena, donde el profeta Oseas coloca en boca de Dios como padre estas palabras conmovedoras: «Cuando Israel era joven, lo amé [...] Yo enseñe a andar a Efraín, lo alzaba en brazos [...] Con cuerdas humanas, con correas de amor lo atraía; era para ellos como el que levanta a un niño contra su mejilla, me inclinaba y le daba de comer» (11, 1.3-4).

29. Con esta mirada, hecha de fe y de amor, de gracia y de compromiso, de familia humana y de Trinidad divina, contemplamos la familia que la Palabra de Dios confía en las manos del varón, de la mujer y de los hijos para que conformen

una comunión de personas que sea imagen de la unión entre el Padre, el Hijo y el Espíritu Santo. La actividad generativa y educativa es, a su vez, un reflejo de la obra creadora del Padre. La familia está llamada a compartir la oración cotidiana, la lectura de la Palabra de Dios y la comunión eucarística para hacer crecer el amor y convertirse cada vez más en templo donde habita el Espíritu.

30. Ante cada familia se presenta el icono de la familia de Nazaret, con su cotidianeidad hecha de cansancios y hasta de pesadillas, como cuando tuvo que sufrir la incomprensible violencia de Herodes, experiencia que se repite trágicamente todavía hoy en tantas familias de prófugos desechados e inermes. Como los magos, las familias son invitadas a contemplar al Niño y a la Madre, a postrarse y a adorarlo (cf. *Mt* 2, 11). Como María, son exhortadas a vivir con coraje y serenidad sus desafíos familiares, tristes y entusiasmantes, y a custodiar y meditar en el corazón las maravillas de Dios (cf. *Lc* 2, 19.51). En el tesoro del corazón de María están también todos los acontecimientos de cada una de nuestras familias, que ella conserva cuidadosamente. Por eso puede ayudarnos a interpretarlos para reconocer en la historia familiar el mensaje de Dios.

CAPÍTULO SEGUNDO

REALIDAD Y DESAFÍOS DE LAS FAMILIAS

31. El bien de la familia es decisivo para el futuro del mundo y de la Iglesia. Son incontables los análisis que se han hecho sobre el matrimonio y la familia, sobre sus dificultades y desafíos actuales. Es sano prestar atención a la realidad concreta, porque «las exigencias y llamadas del Espíritu Santo resuenan también en los acontecimientos mismos de la historia», a través de los cuales «la Iglesia puede ser guiada a una comprensión más profunda del inagotable misterio del matrimonio y de la familia».[1] No pretendo presentar aquí todo lo que podría decirse sobre los diversos temas relacionados con la familia en el contexto actual. Pero, dado que los Padres sinodales han dirigido una mirada a la realidad de las familias de todo el mundo, considero adecuado recoger algunos de sus aportes pastorales, agregando otras preocupaciones que provienen de mi propia mirada.

[1] Juan Pablo II, Exhort. ap. *Familiaris consortio* (22 noviembre 1981), 4: *AAS* 74 (1982), 84.

32. «Fieles a las enseñanzas de Cristo miramos la realidad de la familia hoy en toda su complejidad, en sus luces y sombras [...] El cambio antropológico-cultural hoy influye en todos los aspectos de la vida y requiere un enfoque analítico y diversificado».[2] En el contexto de varias décadas atrás, los Obispos de España ya reconocían una realidad doméstica con más espacios de libertad, «con un reparto equitativo de cargas, responsabilidades y tareas [...] Al valorar más la comunicación personal entre los esposos, se contribuye a humanizar toda la convivencia familiar [...] Ni la sociedad en que vivimos ni aquella hacia la que caminamos permiten la pervivencia indiscriminada de formas y modelos del pasado».[3] Pero «somos conscientes de la dirección que están tomando los cambios antropológico-culturales, en razón de los cuales los individuos son menos apoyados que en el pasado por las estructuras sociales en su vida afectiva y familiar».[4]

33. Por otra parte, «hay que considerar el creciente peligro que representa un individualismo

[2] *Relatio Synodi* 2014, 5.

[3] CONFERENCIA EPISCOPAL ESPAÑOLA, *Matrimonio y familia* (6 julio 1979), 3.16.23.

[4] *Relación final* 2015, 5.

exasperado que desvirtúa los vínculos familiares y acaba por considerar a cada componente de la familia como una isla, haciendo que prevalezca, en ciertos casos, la idea de un sujeto que se construye según sus propios deseos asumidos con carácter absoluto».[5] «Las tensiones inducidas por una cultura individualista exagerada de la posesión y del disfrute generan dentro de las familias dinámicas de intolerancia y agresividad».[6] Quisiera agregar el ritmo de vida actual, el estrés, la organización social y laboral, porque son factores culturales que ponen en riesgo la posibilidad de opciones permanentes. Al mismo tiempo, encontramos fenómenos ambiguos. Por ejemplo, se aprecia una personalización que apuesta por la autenticidad en lugar de reproducir comportamientos pautados. Es un valor que puede promover las distintas capacidades y la espontaneidad, pero que, mal orientado, puede crear actitudes de permanente sospecha, de huida de los compromisos, de encierro en la comodidad, de arrogancia. La libertad para elegir permite proyectar la propia vida y cultivar lo mejor de uno mismo, pero si no tiene objetivos nobles y disciplina personal, degenera en una incapacidad de donarse generosamente. De hecho, en muchos países donde disminuye el

[5] *Relatio Synodi* 2014, 5.

[6] *Relación final* 2015, 8.

número de matrimonios, crece el número de personas que deciden vivir solas, o que conviven sin cohabitar. Podemos destacar también un loable sentido de justicia; pero, mal entendido, convierte a los ciudadanos en clientes que sólo exigen prestaciones de servicios.

34. Si estos riesgos se trasladan al modo de entender la familia, esta puede convertirse en un lugar de paso, al que uno acude cuando le parece conveniente para sí mismo, o donde uno va a reclamar derechos, mientras los vínculos quedan abandonados a la precariedad voluble de los deseos y las circunstancias. En el fondo, hoy es fácil confundir la genuina libertad con la idea de que cada uno juzga como le parece, como si más allá de los individuos no hubiera verdades, valores, principios que nos orienten, como si todo fuera igual y cualquier cosa debiera permitirse. En ese contexto, el ideal matrimonial, con un compromiso de exclusividad y de estabilidad, termina siendo arrasado por las conveniencias circunstanciales o por los caprichos de la sensibilidad. Se teme la soledad, se desea un espacio de protección y de fidelidad, pero al mismo tiempo crece el temor a ser atrapado por una relación que pueda postergar el logro de las aspiraciones personales.

35. Los cristianos no podemos renunciar a proponer el matrimonio con el fin de no contradecir

la sensibilidad actual, para estar a la moda, o por sentimientos de inferioridad frente al descalabro moral y humano. Estaríamos privando al mundo de los valores que podemos y debemos aportar. Es verdad que no tiene sentido quedarnos en una denuncia retórica de los males actuales, como si con eso pudiéramos cambiar algo. Tampoco sirve pretender imponer normas por la fuerza de la autoridad. Nos cabe un esfuerzo más responsable y generoso, que consiste en presentar las razones y las motivaciones para optar por el matrimonio y la familia, de manera que las personas estén mejor dispuestas a responder a la gracia que Dios les ofrece.

36. Al mismo tiempo tenemos que ser humildes y realistas, para reconocer que a veces nuestro modo de presentar las convicciones cristianas, y la forma de tratar a las personas, han ayudado a provocar lo que hoy lamentamos, por lo cual nos corresponde una saludable reacción de autocrítica. Por otra parte, con frecuencia presentamos el matrimonio de tal manera que su fin unitivo, el llamado a crecer en el amor y el ideal de ayuda mutua, quedó opacado por un acento casi excluyente en el deber de la procreación. Tampoco hemos hecho un buen acompañamiento de los nuevos matrimonios en sus primeros años, con propuestas que se adapten a sus horarios, a sus lenguajes, a sus inquietudes más concretas. Otras

veces, hemos presentado un ideal teológico del matrimonio demasiado abstracto, casi artificiosamente construido, lejano de la situación concreta y de las posibilidades efectivas de las familias reales. Esta idealización excesiva, sobre todo cuando no hemos despertado la confianza en la gracia, no ha hecho que el matrimonio sea más deseable y atractivo, sino todo lo contrario.

37. Durante mucho tiempo creímos que con sólo insistir en cuestiones doctrinales, bioéticas y morales, sin motivar la apertura a la gracia, ya sosteníamos suficientemente a las familias, consolidábamos el vínculo de los esposos y llenábamos de sentido sus vidas compartidas. Tenemos dificultad para presentar al matrimonio más como un camino dinámico de desarrollo y realización que como un peso a soportar toda la vida. También nos cuesta dejar espacio a la conciencia de los fieles, que muchas veces responden lo mejor posible al Evangelio en medio de sus límites y pueden desarrollar su propio discernimiento ante situaciones donde se rompen todos los esquemas. Estamos llamados a formar las conciencias, pero no a pretender sustituirlas.

38. Debemos agradecer que la mayor parte de la gente valora las relaciones familiares que quieren permanecer en el tiempo y que aseguran el respeto al otro. Por eso, se aprecia que la Iglesia

ofrezca espacios de acompañamiento y asesoramiento sobre cuestiones relacionadas con el crecimiento del amor, la superación de los conflictos o la educación de los hijos. Muchos estiman la fuerza de la gracia que experimentan en la Reconciliación sacramental y en la Eucaristía, que les permite sobrellevar los desafíos del matrimonio y la familia. En algunos países, especialmente en distintas partes de África, el secularismo no ha logrado debilitar algunos valores tradicionales, y en cada matrimonio se produce una fuerte unión entre dos familias ampliadas, donde todavía se conserva un sistema bien definido de gestión de conflictos y dificultades. En el mundo actual también se aprecia el testimonio de los matrimonios que no sólo han perdurado en el tiempo, sino que siguen sosteniendo un proyecto común y conservan el afecto. Esto abre la puerta a una pastoral positiva, acogedora, que posibilita una profundización gradual de las exigencias del Evangelio. Sin embargo, muchas veces hemos actuado a la defensiva, y gastamos las energías pastorales redoblando el ataque al mundo decadente, con poca capacidad proactiva para mostrar caminos de felicidad. Muchos no sienten que el mensaje de la Iglesia sobre el matrimonio y la familia haya sido un claro reflejo de la predicación y de las actitudes de Jesús que, al mismo tiempo que proponía un ideal exigente, nunca perdía la cercanía compasiva con los frágiles, como la samaritana o la mujer adúltera.

39. Esto no significa dejar de advertir la decadencia cultural que no promueve el amor y la entrega. Las consultas previas a los dos últimos sínodos sacaron a la luz diversos síntomas de la «cultura de lo provisorio». Me refiero, por ejemplo, a la velocidad con la que las personas pasan de una relación afectiva a otra. Creen que el amor, como en las redes sociales, se puede conectar o desconectar a gusto del consumidor e incluso bloquear rápidamente. Pienso también en el temor que despierta la perspectiva de un compromiso permanente, en la obsesión por el tiempo libre, en las relaciones que miden costos y beneficios y se mantienen únicamente si son un medio para remediar la soledad, para tener protección o para recibir algún servicio. Se traslada a las relaciones afectivas lo que sucede con los objetos y el medio ambiente: todo es descartable, cada uno usa y tira, gasta y rompe, aprovecha y estruja mientras sirva. Después, ¡adiós! El narcisismo vuelve a las personas incapaces de mirar más allá de sí mismas, de sus deseos y necesidades. Pero quien utiliza a los demás tarde o temprano termina siendo utilizado, manipulado y abandonado con la misma lógica. Llama la atención que las rupturas se dan muchas veces en adultos mayores que buscan una especie

de «autonomía», y rechazan el ideal de envejecer juntos cuidándose y sosteniéndose.

40. «Aun a riesgo de simplificar, podríamos decir que existe una cultura tal que empuja a muchos jóvenes a no poder formar una familia porque están privados de oportunidades de futuro. Sin embargo, esa misma cultura concede a muchos otros, por el contrario, tantas oportunidades, que también ellos se ven disuadidos de formar una familia».[7] En algunos países, muchos jóvenes «a menudo son llevados a posponer la boda por problemas de tipo económico, laboral o de estudio. A veces, por otras razones, como la influencia de las ideologías que desvalorizan el matrimonio y la familia, la experiencia del fracaso de otras parejas a la cual ellos no quieren exponerse, el miedo hacia algo que consideran demasiado grande y sagrado, las oportunidades sociales y las ventajas económicas derivadas de la convivencia, una concepción puramente emocional y romántica del amor, el miedo de perder su libertad e independencia, el rechazo de todo lo que es concebido como institucional y burocrático».[8] Necesitamos encontrar las palabras, las motivaciones y los testimonios que

---

[7] *Discurso al Congreso de los Estados Unidos de América* (24 septiembre 2015): *L'Osservatore Romano,* ed. semanal en lengua española, 25 de septiembre de 2015, p. 18.

[8] *Relación final* 2015, 29.

nos ayuden a tocar las fibras más íntimas de los jóvenes, allí donde son más capaces de generosidad, de compromiso, de amor e incluso de heroísmo, para invitarles a aceptar con entusiasmo y valentía el desafío del matrimonio.

41. Los Padres sinodales se refirieron a las actuales «tendencias culturales que parecen imponer una efectividad sin límites, [...] una afectividad narcisista, inestable y cambiante que no ayuda siempre a los sujetos a alcanzar una mayor madurez». Han dicho que están preocupados por «una cierta difusión de la pornografía y de la comercialización del cuerpo, favorecida entre otras cosas por un uso desequilibrado de Internet», y por «la situación de las personas que se ven obligadas a practicar la prostitución. En este contexto, «los cónyuges se sienten a menudo inseguros, indecisos y les cuesta encontrar los modos para crecer. Son muchos los que suelen quedarse en los estadios primarios de la vida emocional y sexual. La crisis de los esposos desestabiliza la familia y, a través de las separaciones y los divorcios, puede llegar a tener serias consecuencias para los adultos, los hijos y la sociedad, debilitando al individuo y los vínculos sociales».[9] Las crisis matrimoniales frecuentemente «se afrontan de un modo superficial y sin la valentía de la paciencia, del diálogo sincero, del

[9] *Relatio Synodi* 2014, 10.

perdón recíproco, de la reconciliación y también del sacrificio. Los fracasos dan origen a nuevas relaciones, nuevas parejas, nuevas uniones y nuevos matrimonios, creando situaciones familiares complejas y problemáticas para la opción cristiana».[10]

42. «Asimismo, el descenso demográfico, debido a una mentalidad antinatalista y promovido por las políticas mundiales de salud reproductiva, no sólo determina una situación en la que el sucederse de las generaciones ya no está asegurado, sino que se corre el riesgo de que con el tiempo lleve a un empobrecimiento económico y a una pérdida de esperanza en el futuro. El avance de las biotecnologías también ha tenido un fuerte impacto sobre la natalidad».[11] Pueden agregarse otros factores como «la industrialización, la revolución sexual, el miedo a la superpoblación, los problemas económicos. La sociedad de consumo también puede disuadir a las personas de tener hijos sólo para mantener su libertad y estilo de vida».[12] Es verdad que la conciencia recta de los esposos, cuando han sido muy generosos en la comunicación de la vida, puede orientarlos a la decisión de limitar el número de hijos por motivos

---

[10] III Asamblea General Extraordinaria del Sínodo de los Obispos, *Mensaje* (18 octubre 2014).

[11] *Relatio Synodi* 2014, 10.

[12] *Relación final* 2015, 7.

suficientemente serios, pero también, «por amor a esta dignidad de la conciencia, la Iglesia rechaza con todas sus fuerzas las intervenciones coercitivas del Estado en favor de la anticoncepción, la esterilización e incluso del aborto».[13] Estas medidas son inaceptables incluso en lugares con alta tasa de natalidad, pero llama la atención que los políticos las alienten también en algunos países que sufren el drama de una tasa de natalidad muy baja. Como indicaron los Obispos de Corea, esto es «actuar de un modo contradictorio y descuidando el propio deber».[14]

43. El debilitamiento de la fe y de la práctica religiosa en algunas sociedades afecta a las familias y las deja más solas con sus dificultades. Los Padres afirmaron que «una de las mayores pobrezas de la cultura actual es la soledad, fruto de la ausencia de Dios en la vida de las personas y de la fragilidad de las relaciones. Asimismo, hay una sensación general de impotencia frente a la realidad socioeconómica que a menudo acaba por aplastar a las familias [...] Con frecuencia, las familias se sienten abandonadas por el desinterés y la poca atención de las instituciones. Las consecuencias negativas desde el punto de vista de la organización social

[13] *Ibíd.*, 63.

[14] CONFERENCIA DE OBISPOS CATÓLICOS DE COREA, *Towards a culture of life!* (15 marzo 2007).

son evidentes: de la crisis demográfica a las dificultades educativas, de la fatiga a la hora de acoger la vida naciente a sentir la presencia de los ancianos como un peso, hasta el difundirse de un malestar afectivo que a veces llega a la violencia. El Estado tiene la responsabilidad de crear las condiciones legislativas y laborales para garantizar el futuro de los jóvenes y ayudarlos a realizar su proyecto de formar una familia».[15]

44. La falta de una vivienda digna o adecuada suele llevar a postergar la formalización de una relación. Hay que recordar que «la familia tiene derecho a una vivienda decente, apta para la vida familiar y proporcionada al número de sus miembros, en un ambiente físicamente sano, que ofrezca los servicios básicos para la vida de la familia y de la comunidad».[16] Una familia y un hogar son dos cosas que se reclaman mutuamente. Este ejemplo muestra que tenemos que insistir en los derechos de la familia, y no sólo en los derechos individuales. La familia es un bien del cual la sociedad no puede prescindir, pero necesita ser protegida.[17] La defensa de estos derechos es «una llamada profética en favor de la institución

---

[15] *Relatio Synodi* 2014, 6.

[16] Pontificio Consejo para la Familia, *Carta de los derechos de la familia* (22 octubre 1983), art. 11.

[17] Cf. *Relación final* 2015, 11-12.

familiar que debe ser respetada y defendida contra toda agresión»,[18] sobre todo en el contexto actual donde suele ocupar poco espacio en los proyectos políticos. Las familias tienen, entre otros derechos, el de «poder contar con una adecuada política familiar por parte de las autoridades públicas en el terreno jurídico, económico, social y fiscal».[19] A veces son dramáticas las angustias de las familias cuando, frente a la enfermedad de un ser querido, no tienen acceso a servicios adecuados de salud, o cuando se prolonga el tiempo sin acceder a un empleo digno. «Las coerciones económicas excluyen el acceso de la familia a la educación, la vida cultural y la vida social activa. El actual sistema económico produce diversas formas de exclusión social. Las familias sufren en particular los problemas relativos al trabajo. Las posibilidades para los jóvenes son pocas y la oferta de trabajo es muy selectiva y precaria. Las jornadas de trabajo son largas y, a menudo, agravadas por largos tiempos de desplazamiento. Esto no ayuda a los miembros de la familia a encontrarse entre ellos y con los hijos, a fin de alimentar cotidianamente sus relaciones».[20]

---

[18] Pontificio Consejo para la Familia, *Carta de los derechos de la familia* (22 octubre 1983), Intr.

[19] *Ibíd.*, 9.

[20] *Relación final* 2015, 14.

45. «Son muchos los niños que nacen fuera del matrimonio, especialmente en algunos países, y muchos los que después crecen con uno solo de los padres o en un contexto familiar ampliado o reconstituido [...] Por otro lado, la explotación sexual de la infancia constituye una de las realidades más escandalosas y perversas de la sociedad actual. Asimismo, en las sociedades golpeadas por la violencia a causa de la guerra, del terrorismo o de la presencia del crimen organizado, se dan situaciones familiares deterioradas y, sobre todo en las grandes metrópolis y en sus periferias, crece el llamado fenómeno de los niños de la calle».[21] El abuso sexual de los niños se torna todavía más escandaloso cuando ocurre en los lugares donde deben ser protegidos, particularmente en las familias y en las escuelas y en las comunidades e instituciones cristianas.[22]

46. Las migraciones «representan otro signo de los tiempos que hay que afrontar y comprender con toda la carga de consecuencias sobre la vida familiar».[23] El último Sínodo ha dado una gran importancia a esta problemática, al expresar que «atañe, en modalidades diversas, a poblaciones enteras en varias partes del mundo. La Iglesia ha

[21] *Relatio Synodi* 2014, 8.

[22] Cf. *Relación final* 2015, 78.

[23] *Relatio Synodi* 2014, 8.

tenido en este ámbito un papel importante. La necesidad de mantener y desarrollar este testimonio evangélico (cf. *Mt* 25, 35) aparece hoy más urgente que nunca [...] La movilidad humana, que corresponde al movimiento histórico natural de los pueblos, puede revelarse una auténtica riqueza, tanto para la familia que emigra como para el país que la acoge. Otra cosa es la migración forzada de las familias como consecuencia de situaciones de guerra, persecuciones, pobreza, injusticia, marcada por las vicisitudes de un viaje que a menudo pone en riesgo la vida, traumatiza a las personas y desestabiliza a las familias. El acompañamiento de los migrantes exige una pastoral específica, dirigida tanto a las familias que emigran como a los miembros de los núcleos familiares que permanecen en los lugares de origen. Esto se debe llevar a cabo respetando sus culturas, la formación religiosa y humana de la que provienen, así como la riqueza espiritual de sus ritos y tradiciones, también mediante un cuidado pastoral específico [...] Las experiencias migratorias resultan especialmente dramáticas y devastadoras, tanto para las familias como para las personas, cuando tienen lugar fuera de la legalidad y son sostenidas por los circuitos internacionales de la trata de personas. También cuando conciernen a las mujeres o a los niños no acompañados, obligados a permanencias prolongadas en lugares de pasaje entre un país y otro, en campos de refugiados, donde no es posible iniciar un camino de integración. La extrema pobreza, y otras situaciones de desintegración, inducen a veces a las familias incluso a vender a sus propios hijos para la prostitución o el tráfico de órganos».[24] «Las persecuciones de los cristianos, así como las de las minorías étnicas y religiosas, en muchas partes del mundo, especialmente en Oriente Medio, son una gran prueba: no sólo para la Iglesia, sino también para toda la comunidad internacional. Todo esfuerzo debe ser apoyado para facilitar la permanencia de las familias y de las comunidades cristianas en sus países de origen».[25]

47. Los Padres también dedicaron especial atención «a las familias de las personas con discapacidad, en las cuales dicho hándicap, que irrumpe en la vida, genera un desafío, profundo e inesperado, y desbarata los equilibrios, los deseos y las expectativas [...] Merecen una gran admiración las familias que aceptan con amor la difícil prueba de un niño discapacitado. Ellas dan a la Iglesia y a la sociedad un valioso testimonio de fidelidad al don de la vida. La familia podrá descubrir, junto con la comunidad cristiana, nuevos

[24] *Relación final* 2015, 23; cf. *Mensaje para la Jornada mundial del emigrante y del refugiado 2016* (12 septiembre 2015): *L'Osservatore Romano*, ed. semanal en lengua española, 2 de octubre de 2015, p. 22-23.

[25] *Ibíd.*, 24.

gestos y lenguajes, formas de comprensión y de identidad, en el camino de acogida y cuidado del misterio de la fragilidad. Las personas con discapacidad son para la familia un don y una oportunidad para crecer en el amor, en la ayuda recíproca y en la unidad [...] La familia que acepta con los ojos de la fe la presencia de personas con discapacidad podrá reconocer y garantizar la calidad y el valor de cada vida, con sus necesidades, sus derechos y sus oportunidades. Dicha familia proveerá asistencia y cuidados, y promoverá compañía y afecto, en cada fase de la vida».[26] Quiero subrayar que la atención dedicada tanto a los migrantes como a las personas con discapacidades es un signo del Espíritu. Porque ambas situaciones son paradigmáticas: ponen especialmente en juego cómo se vive hoy la lógica de la acogida misericordiosa y de la integración de los más frágiles.

48. «La mayoría de las familias respeta a los ancianos, los rodea de cariño y los considera una bendición. Un agradecimiento especial hay que dirigirlo a las asociaciones y movimientos familiares que trabajan en favor de los ancianos, en lo espiritual y social [...] En las sociedades altamente industrializadas, donde su número va en aumento, mientras que la tasa de natalidad disminuye, estos corren el riesgo de ser percibidos como un peso.

---

[26] *Ibíd.*, 21.

Por otro lado, los cuidados que requieren a menudo ponen a dura prueba a sus seres queridos».[27] «Valorar la fase conclusiva de la vida es todavía más necesario hoy, porque en la sociedad actual se trata de cancelar de todos los modos posibles el momento del tránsito. La fragilidad y la dependencia del anciano a veces son injustamente explotadas para sacar ventaja económica. Numerosas familias nos enseñan que se pueden afrontar los últimos años de la vida valorizando el sentido del cumplimiento y la integración de toda la existencia en el misterio pascual. Un gran número de ancianos es acogido en estructuras eclesiales, donde pueden vivir en un ambiente sereno y familiar en el plano material y espiritual. La eutanasia y el suicidio asistido son graves amenazas para las familias de todo el mundo. Su práctica es legal en muchos países. La Iglesia, mientras se opone firmemente a estas prácticas, siente el deber de ayudar a las familias que cuidan de sus miembros ancianos y enfermos».[28]

49. Quiero destacar la situación de las familias sumidas en la miseria, castigadas de tantas maneras, donde los límites de la vida se viven de forma lacerante. Si todos tienen dificultades, en

---

[27] *Ibíd.*, 17.

[28] *Ibíd.*, 20.

un hogar muy pobre se vuelven más duras.[29] Por ejemplo, si una mujer debe criar sola a su hijo, por una separación o por otras causas, y debe trabajar sin la posibilidad de dejarlo con otra persona, el niño crece en un abandono que lo expone a todo tipo de riesgos, y su maduración personal queda comprometida. En las difíciles situaciones que viven las personas más necesitadas, la Iglesia debe tener un especial cuidado para comprender, consolar, integrar, evitando imponerles una serie de normas como si fueran una roca, con lo cual se consigue el efecto de hacer que se sientan juzgadas y abandonadas precisamente por esa Madre que está llamada a acercarles la misericordia de Dios. De ese modo, en lugar de ofrecer la fuerza sanadora de la gracia y la luz del Evangelio, algunos quieren «adoctrinarlo», convertirlo en «piedras muertas para lanzarlas contra los demás».[30]

Algunos desafíos

50. Las respuestas recibidas a las dos consultas efectuadas durante el camino sinodal, mencionaron las más diversas situaciones que plantean nuevos desafíos. Además de las ya indicadas,

[29] Cf. *ibíd.*, 15.

[30] *Discurso* en la clausura de la XIV Asamblea General Ordinaria del Sínodo de los Obispos (24 octubre 2015): *L'Osservatore Romano*, ed. semanal en lengua española, 30 de octubre de 2015, p. 4.

muchos se han referido a la función educativa, que se ve dificultada, entre otras causas, porque los padres llegan a su casa cansados y sin ganas de conversar, en muchas familias ya ni siquiera existe el hábito de comer juntos, y crece una gran variedad de ofertas de distracción además de la adicción a la televisión. Esto dificulta la transmisión de la fe de padres a hijos. Otros indicaron que las familias suelen estar enfermas por una enorme ansiedad. Parece haber más preocupación por prevenir problemas futuros que por compartir el presente. Esto, que es una cuestión cultural, se agrava debido a un futuro profesional incierto, a la inseguridad económica, o al temor por el porvenir de los hijos.

51. También se mencionó la drogodependencia como una de las plagas de nuestra época, que hace sufrir a muchas familias, y no pocas veces termina destruyéndolas. Algo semejante ocurre con el alcoholismo, el juego y otras adicciones. La familia podría ser el lugar de la prevención y de la contención, pero la sociedad y la política no terminan de percatarse de que una familia en riesgo «pierde la capacidad de reacción para ayudar a sus miembros [...] Notamos las graves consecuencias de esta ruptura en familias destrozadas, hijos desarraigados, ancianos abandonados, niños huérfanos de padres vivos, adolescentes y jóvenes

desorientados y sin reglas».[31] Como indicaron los Obispos de México, hay tristes situaciones de violencia familiar que son caldo de cultivo para nuevas formas de agresividad social, porque «las relaciones familiares también explican la predisposición a una personalidad violenta. Las familias que influyen para ello son las que tienen una comunicación deficiente; en las que predominan actitudes defensivas y sus miembros no se apoyan entre sí; en las que no hay actividades familiares que propicien la participación; en las que las relaciones de los padres suelen ser conflictivas y violentas, y en las que las relaciones paterno-filiales se caracterizan por actitudes hostiles. La violencia intrafamiliar es escuela de resentimiento y odio en las relaciones humanas básicas».[32]

52. Nadie puede pensar que debilitar a la familia como sociedad natural fundada en el matrimonio es algo que favorece a la sociedad. Ocurre lo contrario: perjudica la maduración de las personas, el cultivo de los valores comunitarios y el desarrollo ético de las ciudades y de los pueblos. Ya no se advierte con claridad que sólo la unión exclusiva e indisoluble entre un varón y una mujer

---

[31] Conferencia Episcopal Argentina, *Navega mar adentro* (31 mayo 2003), 42.

[32] Conferencia del Episcopado Mexicano, *Que en Cristo nuestra paz México tenga vida digna* (15 febrero 2009), 67.

cumple una función social plena, por ser un compromiso estable y por hacer posible la fecundidad. Debemos reconocer la gran variedad de situaciones familiares que pueden brindar cierta estabilidad, pero las uniones de hecho o entre personas del mismo sexo, por ejemplo, no pueden equipararse sin más al matrimonio. Ninguna unión precaria o cerrada a la comunicación de la vida nos asegura el futuro de la sociedad. Pero ¿quiénes se ocupan hoy de fortalecer los matrimonios, de ayudarles a superar los riesgos que los amenazan, de acompañarlos en su rol educativo, de estimular la estabilidad de la unión conyugal?

53. «En algunas sociedades todavía está en vigor la práctica de la poligamia; en otros contextos permanece la práctica de los matrimonios combinados [...] En numerosos contextos, y no sólo occidentales, se está ampliamente difundiendo la praxis de la convivencia que precede al matrimonio, así como convivencias no orientadas a asumir la forma de un vínculo institucional».[33] En varios países, la legislación facilita el avance de una multiplicidad de alternativas, de manera que un matrimonio con notas de exclusividad, indisolubilidad y apertura a la vida termina apareciendo como una oferta anticuada entre muchas otras. Avanza en muchos países una deconstrucción

[33] *Relación final* 2015, 25.

jurídica de la familia que tiende a adoptar formas basadas casi exclusivamente en el paradigma de la autonomía de la voluntad. Si bien es legítimo y justo que se rechacen viejas formas de familia «tradicional», caracterizadas por el autoritarismo e incluso por la violencia, esto no debería llevar al desprecio del matrimonio sino al redescubrimiento de su verdadero sentido y a su renovación. La fuerza de la familia «reside esencialmente en su capacidad de amar y enseñar a amar. Por muy herida que pueda estar una familia, esta puede crecer gracias al amor».[34]

54. En esta breve mirada a la realidad, deseo resaltar que, aunque hubo notables mejoras en el reconocimiento de los derechos de la mujer y en su participación en el espacio público, todavía hay mucho que avanzar en algunos países. No se terminan de erradicar costumbres inaceptables. Destaco la vergonzosa violencia que a veces se ejerce sobre las mujeres, el maltrato familiar y distintas formas de esclavitud que no constituyen una muestra de fuerza masculina sino una cobarde degradación. La violencia verbal, física y sexual que se ejerce contra las mujeres en algunos matrimonios contradice la naturaleza misma de la unión conyugal. Pienso en la grave mutilación genital de la mujer en algunas culturas, pero también en la

---

[34] *Ibíd.*, 10.

desigualdad del acceso a puestos de trabajo dignos y a los lugares donde se toman las decisiones. La historia lleva las huellas de los excesos de las culturas patriarcales, donde la mujer era considerada de segunda clase, pero recordemos también el alquiler de vientres o «la instrumentalización y mercantilización del cuerpo femenino en la actual cultura mediática».[35] Hay quienes consideran que muchos problemas actuales han ocurrido a partir de la emancipación de la mujer. Pero este argumento no es válido, «es una falsedad, no es verdad. Es una forma de machismo».[36] La idéntica dignidad entre el varón y la mujer nos mueve a alegrarnos de que se superen viejas formas de discriminación, y de que en el seno de las familias se desarrolle un ejercicio de reciprocidad. Si surgen formas de feminismo que no podamos considerar adecuadas, igualmente admiramos una obra del Espíritu en el reconocimiento más claro de la dignidad de la mujer y de sus derechos.

55. El varón «juega un papel igualmente decisivo en la vida familiar, especialmente en la protección y el sostenimiento de la esposa y los hijos [...] Muchos hombres son conscientes de la

[35] *Catequesis* (22 abril 2015): *L'Osservatore Romano*, ed. semanal en lengua española, 24 de abril de 2015, p. 12.

[36] *Catequesis* (29 abril 2015): *L'Osservatore Romano*, ed. semanal en lengua española, 1 de mayo de 2015, p. 12.

importancia de su papel en la familia y lo viven con el carácter propio de la naturaleza masculina. La ausencia del padre marca severamente la vida familiar, la educación de los hijos y su integración en la sociedad. Su ausencia puede ser física, afectiva, cognitiva y espiritual. Esta carencia priva a los niños de un modelo apropiado de conducta paterna».[37]

56. Otro desafío surge de diversas formas de una ideología, genéricamente llamada *gender*, que «niega la diferencia y la reciprocidad natural de hombre y de mujer. Esta presenta una sociedad sin diferencias de sexo, y vacía el fundamento antropológico de la familia. Esta ideología lleva a proyectos educativos y directrices legislativas que promueven una identidad personal y una intimidad afectiva radicalmente desvinculadas de la diversidad biológica entre hombre y mujer. La identidad humana viene determinada por una opción individualista, que también cambia con el tiempo».[38] Es inquietante que algunas ideologías de este tipo, que pretenden responder a ciertas aspiraciones a veces comprensibles, procuren imponerse como un pensamiento único que determine incluso la educación de los niños. No hay que ignorar que «el sexo biológico (*sex*) y el papel sociocultural

---

[37] *Relación final* 2015, 28.

[38] *Ibíd.*, 8.

del sexo (*gender*), se pueden distinguir pero no separar».[39] Por otra parte, «la revolución biotecnológica en el campo de la procreación humana ha introducido la posibilidad de manipular el acto generativo, convirtiéndolo en independiente de la relación sexual entre hombre y mujer. De este modo, la vida humana, así como la paternidad y la maternidad, se han convertido en realidades componibles y descomponibles, sujetas principalmente a los deseos de los individuos o de las parejas».[40] Una cosa es comprender la fragilidad humana o la complejidad de la vida, y otra cosa es aceptar ideologías que pretenden partir en dos los aspectos inseparables de la realidad. No caigamos en el pecado de pretender sustituir al Creador. Somos creaturas, no somos omnipotentes. Lo creado nos precede y debe ser recibido como don. Al mismo tiempo, somos llamados a custodiar nuestra humanidad, y eso significa ante todo aceptarla y respetarla como ha sido creada.

57. Doy gracias a Dios porque muchas familias, que están lejos de considerarse perfectas, viven en el amor, realizan su vocación y siguen adelante, aunque caigan muchas veces a lo largo del camino. A partir de las reflexiones sinodales no queda un estereotipo de la familia ideal, sino

---

[39] *Ibíd.*, 58.

[40] *Ibíd.*, 33.

un interpelante «*collage*» formado por tantas realidades diferentes, colmadas de gozos, dramas y sueños. Las realidades que nos preocupan son desafíos. No caigamos en la trampa de desgastarnos en lamentos autodefensivos, en lugar de despertar una creatividad misionera. En todas las situaciones, «la Iglesia siente la necesidad de decir una palabra de verdad y de esperanza [...] Los grandes valores del matrimonio y de la familia cristiana corresponden a la búsqueda que impregna la existencia humana».[41] Si constatamos muchas dificultades, ellas son —como dijeron los Obispos de Colombia— un llamado a «liberar en nosotros las energías de la esperanza traduciéndolas en sueños proféticos, acciones transformadoras e imaginación de la caridad».[42]

---

[41] *Relatio Synodi* 2014, 11.

[42] Conferencia Episcopal de Colombia, *A tiempos difíciles, colombianos nuevos* (13 febrero 2003), 3.

CAPÍTULO TERCERO

LA MIRADA PUESTA EN JESÚS: VOCACIÓN DE LA FAMILIA

58. Ante las familias, y en medio de ellas, debe volver a resonar siempre el primer anuncio, que es «lo más bello, lo más grande, lo más atractivo y al mismo tiempo lo más necesario»,[1] y «debe ocupar el centro de la actividad evangelizadora».[2] Es el anuncio principal, «ese que siempre hay que volver a escuchar de diversas maneras y ese que siempre hay que volver a anunciar de una forma o de otra».[3] Porque «nada hay más sólido, más profundo, más seguro, más denso y más sabio que ese anuncio» y «toda formación cristiana es ante todo la profundización del *kerygma*».[4]

59. Nuestra enseñanza sobre el matrimonio y la familia no puede dejar de inspirarse y de transfigurarse a la luz de este anuncio de amor y de ternura, para no convertirse en una mera defensa

---

[1] Exhort. ap. *Evangelii gaudium* (24 noviembre 2013), 35: *AAS* 105 (2013), 1034.

[2] *Ibíd.*, 164: *AAS* 105 (2013), 1088.

[3] *Ibíd.*

[4] *Ibíd.*, 165: *AAS* 105 (2013), 1089.

de una doctrina fría y sin vida. Porque tampoco el misterio de la familia cristiana puede entenderse plenamente si no es a la luz del infinito amor del Padre, que se manifestó en Cristo, que se entregó hasta el fin y vive entre nosotros. Por eso, quiero contemplar a Cristo vivo presente en tantas historias de amor, e invocar el fuego del Espíritu sobre todas las familias del mundo.

60. Dentro de ese marco, este breve capítulo recoge una síntesis de la enseñanza de la Iglesia sobre el matrimonio y la familia. También aquí citaré varios aportes presentados por los Padres sinodales en sus consideraciones sobre la luz que nos ofrece la fe. Ellos partieron de la mirada de Jesús e indicaron que Él «miró a las mujeres y a los hombres con los que se encontró con amor y ternura, acompañando sus pasos con verdad, paciencia y misericordia, al anunciar las exigencias del Reino de Dios».[5] Así también, el Señor nos acompaña hoy en nuestro interés por vivir y transmitir el Evangelio de la familia.

Jesús recupera y lleva a su plenitud el proyecto divino

61. Frente a quienes prohibían el matrimonio, el Nuevo Testamento enseña que «todo lo

[5] *Relatio Synodi* 2014, 12.

que Dios ha creado es bueno; no hay que desechar nada» (*1Tt* 4, 4). El matrimonio es un «don» del Señor (cf. *1Co* 7, 7). Al mismo tiempo, por esa valoración positiva, se pone un fuerte énfasis en cuidar este don divino: «Respeten el matrimonio, el lecho nupcial» (*Hb* 13, 4). Ese regalo de Dios incluye la sexualidad: «No se priven uno del otro» (*1Co* 7, 5).

62. Los Padres sinodales recordaron que Jesús «refiriéndose al designio primigenio sobre el hombre y la mujer, reafirma la unión indisoluble entre ellos, si bien diciendo que "por la dureza de su corazón les permitió Moisés repudiar a sus mujeres; pero, al principio, no era así" (*Mt* 19, 8). La indisolubilidad del matrimonio –"lo que Dios ha unido, que no lo separe el hombre" (*Mt* 19, 6) no hay que entenderla ante todo como un "yugo" impuesto a los hombres sino como un "don" hecho a las personas unidas en matrimonio [...] La condescendencia divina acompaña siempre el camino humano, sana y transforma el corazón endurecido con su gracia, orientándolo hacia su principio, a través del camino de la cruz. De los Evangelios emerge claramente el ejemplo de Jesús, que [...] anunció el mensaje concerniente al significado del matrimonio como plenitud de la revelación que

recupera el proyecto originario de Dios (cf. *Mt* 19, 3)».[6]

63. «Jesús, que reconcilió cada cosa en sí misma, volvió a llevar el matrimonio y la familia a su forma original (cf. *Mc* 10, 1-12). La familia y el matrimonio fueron redimidos por Cristo (cf. *Ef* 5, 21-32), restaurados a imagen de la Santísima Trinidad, misterio del que brota todo amor verdadero. La alianza esponsal, inaugurada en la creación y revelada en la historia de la salvación, recibe la plena revelación de su significado en Cristo y en su Iglesia. De Cristo, mediante la Iglesia, el matrimonio y la familia reciben la gracia necesaria para testimoniar el amor de Dios y vivir la vida de comunión. El Evangelio de la familia atraviesa la historia del mundo, desde la creación del hombre a imagen y semejanza de Dios (cf. *Gn* 1, 26-27) hasta el cumplimiento del misterio de la Alianza en Cristo al final de los siglos con las bodas del Cordero (cf. *Ap* 19, 9)».[7]

64. «El ejemplo de Jesús es un paradigma para la Iglesia [...] Él inició su vida pública con el milagro en la fiesta nupcial en Caná (cf. *Jn* 2, 1-11) [...] Compartió momentos cotidianos de amistad con la familia de Lázaro y sus hermanas

---

[6] *Ibíd.*, 14.

[7] *Ibíd.*, 16.

(cf. *Lc* 10, 38) y con la familia de Pedro (cf. *Mt* 8, 14). Escuchó el llanto de los padres por sus hijos, devolviéndoles la vida (cf. *Mc* 5, 41; *Lc* 7, 14-15), y mostrando así el verdadero sentido de la misericordia, la cual implica el restablecimiento de la Alianza (cf. Juan Pablo II, *Dives in misericordia*, 4). Esto aparece claramente en los encuentros con la mujer samaritana (cf. *Jn* 4, 1-30) y con la adúltera (cf. *Jn* 8, 1-11), en los que la percepción del pecado se despierta de frente al amor gratuito de Jesús».[8]

65. La encarnación del Verbo en una familia humana, en Nazaret, conmueve con su novedad la historia del mundo. Necesitamos sumergirnos en el misterio del nacimiento de Jesús, en el sí de María al anuncio del ángel, cuando germinó la Palabra en su seno; también en el sí de José, que dio el nombre a Jesús y se hizo cargo de María; en la fiesta de los pastores junto al pesebre, en la adoración de los Magos; en fuga a Egipto, en la que Jesús participa en el dolor de su pueblo exiliado, perseguido y humillado; en la religiosa espera de Zacarías y en la alegría que acompaña el nacimiento de Juan el Bautista, en la promesa cumplida para Simeón y Ana en el templo, en la admiración de los doctores de la ley escuchando la sabiduría de Jesús adolescente. Y luego, penetrar en los treinta largos

[8] *Relación final* 2015, 41.

años donde Jesús se ganaba el pan trabajando con sus manos, susurrando la oración y la tradición creyente de su pueblo y educándose en la fe de sus padres, hasta hacerla fructificar en el misterio del Reino. Este es el misterio de la Navidad y el secreto de Nazaret, lleno de perfume a familia. Es el misterio que tanto fascinó a Francisco de Asís, a Teresa del Niño Jesús y a Carlos de Foucauld, del cual beben también las familias cristianas para renovar su esperanza y su alegría.

66. «La alianza de amor y fidelidad, de la cual vive la Sagrada Familia de Nazaret, ilumina el principio que da forma a cada familia, y la hace capaz de afrontar mejor las vicisitudes de la vida y de la historia. Sobre esta base, cada familia, a pesar de su debilidad, puede llegar a ser una luz en la oscuridad del mundo. "Lección de vida doméstica. Enseñe Nazaret lo que es la familia, su comunión de amor, su sencilla y austera belleza, su carácter sagrado e inviolable; enseñe lo dulce e insustituible que es su pedagogía; enseñe lo fundamental e insuperable de su sociología" (Pablo VI, *Discurso en Nazaret*, 5 enero 1964)».[9]

---

[9] *Ibíd.*, 38.

La familia en los documentos de la Iglesia

67. El Concilio Ecuménico Vaticano II, en la Constitución pastoral *Gaudium et spes*, se ocupó de «la promoción de la dignidad del matrimonio y la familia» (cf. 47-52). Definió el matrimonio como comunidad de vida y de amor (cf. 48), poniendo el amor en el centro de la familia [...] El "verdadero amor entre marido y mujer" (49) implica la entrega mutua, incluye e integra la dimensión sexual y la afectividad, conformemente al designio divino (cf. 48-49). Además, subraya el arraigo en Cristo de los esposos: Cristo Señor "sale al encuentro de los esposos cristianos en el sacramento del matrimonio" (48), y permanece con ellos. En la encarnación, él asume el amor humano, lo purifica, lo lleva a plenitud, y dona a los esposos, con su Espíritu, la capacidad de vivirlo, impregnando toda su vida de fe, esperanza y caridad. De este modo, los esposos son consagrados y, mediante una gracia propia, edifican el Cuerpo de Cristo y constituyen una iglesia doméstica (cf. *Lumen gentium*, 11), de manera que la Iglesia, para comprender plenamente su misterio, mira a la familia cristiana, que lo manifiesta de modo genuino».[10]

---

[10] *Relatio Synodi* 2014, 17.

68. Luego, «siguiendo las huellas del Concilio Vaticano II, el beato Pablo VI profundizó la doctrina sobre el matrimonio y la familia. En particular, con la Encíclica *Humanae vitae*, puso de relieve el vínculo íntimo entre amor conyugal y procreación: "El amor conyugal exige a los esposos una conciencia de su misión de paternidad responsable sobre la que hoy tanto se insiste con razón y que hay que comprender exactamente [...] El ejercicio responsable de la paternidad exige, por tanto, que los cónyuges reconozcan plenamente sus propios deberes para con Dios, para consigo mismos, para con la familia y la sociedad, en una justa jerarquía de valores" (10). En la Exhortación apostólica *Evangelii nuntiandi*, el beato Pablo VI evidenció la relación entre la familia y la Iglesia».[11]

69. «San Juan Pablo II dedicó especial atención a la familia mediante sus catequesis sobre el amor humano, la Carta a las familias *Gratissimam sane* y sobre todo con la Exhortación apostólica *Familiaris consortio*. En esos documentos, el Pontífice definió a la familia "vía de la Iglesia"; ofreció una visión de conjunto sobre la vocación al amor del hombre y la mujer; propuso las líneas fundamentales para la pastoral de la familia y para la presencia de la familia en la sociedad. En particular, tratando de la caridad conyugal (cf. *Familiaris*

[11] *Relación final* 2015, 43.

consortio, 13), describió el modo cómo los cónyuges, en su mutuo amor, reciben el don del Espíritu de Cristo y viven su llamada a la santidad».[12]

70. «Benedicto XVI, en la Encíclica *Deus caritas est*, retomó el tema de la verdad del amor entre hombre y mujer, que se ilumina plenamente sólo a la luz del amor de Cristo crucificado (cf. n. 2). Él recalca que "el matrimonio basado en un amor exclusivo y definitivo se convierte en el icono de la relación de Dios con su pueblo y, viceversa, el modo de amar de Dios se convierte en la medida del amor humano" (11). Además, en la Encíclica *Caritas in veritate*, pone de relieve la importancia del amor como principio de vida en la sociedad (cf. n. 44), lugar en el que se aprende la experiencia del bien común».[13]

El sacramento del matrimonio

71. «La Sagrada Escritura y la Tradición nos revelan la Trinidad con características familiares. La familia es imagen de Dios, que [...] es comunión de personas. En el bautismo, la voz del Padre llamó a Jesús Hijo amado, y en este amor podemos reconocer al Espíritu Santo (cf. Mc 1, 10-11). Jesús, que reconcilió en sí cada cosa y ha redimido

[12] *Relatio Synodi* 2014, 18.
[13] *Ibíd.*, 19.

al hombre del pecado, no sólo volvió a llevar el matrimonio y la familia a su forma original, sino que también elevó el matrimonio a signo sacramental de su amor por la Iglesia (cf. *Mt* 19, 1-12; *Mc* 10, 1-12; *Ef* 5, 21-32). En la familia humana, reunida en Cristo, está restaurada la "imagen y semejanza" de la Santísima Trinidad (cf. *Gn* 1, 26), misterio del que brota todo amor verdadero. De Cristo, mediante la Iglesia, el matrimonio y la familia reciben la gracia necesaria para testimoniar el Evangelio del amor de Dios».[14]

72. El sacramento del matrimonio no es una convención social, un rito vacío o el mero signo externo de un compromiso. El sacramento es un don para la santificación y la salvación de los esposos, porque «su recíproca pertenencia es representación real, mediante el signo sacramental, de la misma relación de Cristo con la Iglesia. Los esposos son por tanto el recuerdo permanente para la Iglesia de lo que acaeció en la cruz; son el uno para el otro y para los hijos, testigos de la salvación, de la que el sacramento les hace partícipes».[15] El matrimonio es una vocación, en cuanto que es una respuesta al llamado específico a vivir el amor conyugal como signo imperfecto del amor

[14] *Relación final* 2015, 38.

[15] Juan Pablo II, Exhort. ap. *Familiaris consortio* (22 noviembre 1981), 13: *AAS* 74 (1982), 94.

entre Cristo y la Iglesia. Por lo tanto, la decisión de casarse y de crear una familia debe ser fruto de un discernimiento vocacional.

73. «El don recíproco constitutivo del matrimonio sacramental arraiga en la gracia del bautismo, que establece la alianza fundamental de toda persona con Cristo en la Iglesia. En la acogida mutua, y con la gracia de Cristo, los novios se prometen entrega total, fidelidad y apertura a la vida, y además reconocen como elementos constitutivos del matrimonio los dones que Dios les ofrece, tomando en serio su mutuo compromiso, en su nombre y frente a la Iglesia. Ahora bien, la fe permite asumir los bienes del matrimonio como compromisos que se pueden sostener mejor mediante la ayuda de la gracia del sacramento [...] Por lo tanto, la mirada de la Iglesia se dirige a los esposos como al corazón de toda la familia, que a su vez dirige su mirada hacia Jesús».[16] El sacramento no es una «cosa» o una «fuerza», porque en realidad Cristo mismo «mediante el sacramento del matrimonio, sale al encuentro de los esposos cristianos (cf. *Gaudium et spes*, 48). Permanece con ellos, les da la fuerza de seguirle tomando su cruz, de levantarse después de sus caídas, de perdonarse mutuamente, de llevar unos las cargas de

---

[16] *Relatio Synodi* 2014, 21.

los otros».[17] El matrimonio cristiano es un signo que no sólo indica cuánto amó Cristo a su Iglesia en la Alianza sellada en la cruz, sino que hace presente ese amor en la comunión de los esposos. Al unirse ellos en una sola carne, representan el desposorio del Hijo de Dios con la naturaleza humana. Por eso «en las alegrías de su amor y de su vida familiar les da, ya aquí, un gusto anticipado del banquete de las bodas del Cordero».[18] Aunque «la analogía entre la pareja marido-mujer y Cristo-Iglesia» es una «analogía imperfecta»,[19] invita a invocar al Señor para que derrame su propio amor en los límites de las relaciones conyugales.

74. La unión sexual, vivida de modo humano y santificada por el sacramento, es a su vez camino de crecimiento en la vida de la gracia para los esposos. Es el «misterio nupcial».[20] El valor de la unión de los cuerpos está expresado en las palabras del consentimiento, donde se aceptaron y se entregaron el uno al otro para compartir toda la vida. Esas palabras otorgan un significado a la sexualidad y la liberan de cualquier ambigüedad. Pero, en realidad, toda la vida en común de los esposos, toda

[17] *Catecismo de la Iglesia Católica*, 1642.

[18] *Ibíd.*

[19] *Catequesis* (6 mayo 2015): *L'Osservatore Romano*, ed. semanal en lengua española, 8 de mayo de 2015, p. 16.

[20] León Magno, *Epistula Rustico narbonensi episcopo*, inquis. IV: *PL* 54, 1205A; cf. Incmaro de Reims, *Epist.* 22: *PL* 126, 142.

la red de relaciones que tejerán entre sí, con sus hijos y con el mundo, estará impregnada y fortalecida por la gracia del sacramento que brota del misterio de la Encarnación y de la Pascua, donde Dios expresó todo su amor por la humanidad y se unió íntimamente a ella. Nunca estarán solos con sus propias fuerzas para enfrentar los desafíos que se presenten. Ellos están llamados a responder al don de Dios con su empeño, su creatividad, su resistencia y su lucha cotidiana, pero siempre podrán invocar al Espíritu Santo que ha consagrado su unión, para que la gracia recibida se manifieste nuevamente en cada nueva situación.

75. Según la tradición latina de la Iglesia, en el sacramento del matrimonio los ministros son el varón y la mujer que se casan,[21] quienes, al manifestar su consentimiento y expresarlo en su entrega corpórea, reciben un gran don. Su consentimiento y la unión de sus cuerpos son los instrumentos de la acción divina que los hace una sola carne. En el bautismo quedó consagrada su capacidad de unirse en matrimonio como ministros del Señor para responder al llamado de Dios. Por eso, cuando dos cónyuges no cristianos se bautizan, no es necesario que renueven la promesa matrimonial, y basta que

---

[21] Cf. Pío XII, Carta enc. *Mystici Corporis Christi* (29 junio 1943): AAS 35 (1943), 202: «*Matrimonio enim quo coniuges sibi invicem sunt ministri gratiae*...».

no la rechacen, ya que por el bautismo que reciben esa unión se vuelve automáticamente sacramental. El Derecho canónico también reconoce la validez de algunos matrimonios que se celebran sin un ministro ordenado.[22] En efecto, el orden natural ha sido asumido por la redención de Jesucristo, de tal manera que, «entre bautizados, no puede haber contrato matrimonial válido que no sea por eso mismo sacramento».[23] La Iglesia puede exigir la publicidad del acto, la presencia de testigos y otras condiciones que han ido variando a lo largo de la historia, pero eso no quita a los dos que se casan su carácter de ministros del sacramento ni debilita la centralidad del consentimiento del varón y la mujer, que es lo que de por sí establece el vínculo sacramental. De todos modos, necesitamos reflexionar más acerca de la acción divina en el rito nupcial, que aparece muy destacada en las Iglesias orientales, al resaltar la importancia de la bendición sobre los contrayentes como signo del don del Espíritu.

---

[22] Cf. *Código de Derecho Canónico*, cc. 1116. 1161-1165; *Código de los Cánones de las Iglesias Orientales*, cc. 832. 848-852.

[23] *Ibíd.*, c. 1055 § 2.

Semillas del Verbo y situaciones imperfectas

76. «El Evangelio de la familia alimenta también estas semillas que todavía esperan madurar, y tiene que hacerse cargo de los árboles que han perdido vitalidad y necesitan que no se les descuide»,[24] de manera que, partiendo del don de Cristo en el sacramento, «sean conducidos pacientemente más allá hasta llegar a un conocimiento más rico y a una integración más plena de este misterio en su vida».[25]

77. Asumiendo la enseñanza bíblica, según la cual todo fue creado por Cristo y para Cristo (cf. *Col* 1, 16), los Padres sinodales recordaron que «el orden de la redención ilumina y cumple el de la creación. El matrimonio natural, por lo tanto, se comprende plenamente a la luz de su cumplimiento sacramental: sólo fijando la mirada en Cristo se conoce profundamente la verdad de las relaciones humanas. "En realidad, el misterio del hombre sólo se esclarece en el misterio del Verbo encarnado [...] Cristo, el nuevo Adán, en la misma revelación del misterio del Padre y de su amor, manifiesta plenamente el hombre al propio

---

[24] *Relatio Synodi* 2014, 23.

[25] Juan Pablo II, Exhort. ap. *Familiaris consortio* (22 noviembre 1981), 9: *AAS* 74 (1982), 90.

hombre y le descubre la grandeza de su vocación" (*Gaudium et spes*, 22). Resulta particularmente oportuno comprender en clave cristocéntrica [...] el bien de los cónyuges (*bonum coniugum*)»,[26] que incluye la unidad, la apertura a la vida, la fidelidad y la indisolubilidad, y dentro del matrimonio cristiano también la ayuda mutua en el camino hacia la más plena amistad con el Señor. «El discernimiento de la presencia de los *semina Verbi* en las otras culturas (cf. *Ad gentes divinitus*, 11) también se puede aplicar a la realidad matrimonial y familiar. Fuera del verdadero matrimonio natural también hay elementos positivos en las formas matrimoniales de otras tradiciones religiosas»,[27] aunque tampoco falten las sombras. Podemos decir que «toda persona que quiera traer a este mundo una familia, que enseñe a los niños a alegrarse por cada acción que tenga como propósito vencer el mal —una familia que muestra que el Espíritu está vivo y actuante— encontrará gratitud y estima, no importando el pueblo, o la religión o la región a la que pertenezca».[28]

---

[26] *Relación final* 2015, 47.

[27] *Ibíd.*

[28] Cf. *Homilía en la Santa Misa de clausura del VIII Encuentro Mundial de las Familias en Filadelfia* (27 septiembre 2015): *L'Osservatore Romano*, ed. semanal en lengua española, 2 de octubre de 2015, p. 20.

78. «La mirada de Cristo, cuya luz alumbra a todo hombre (cf. *Jn* 1, 9; *Gaudium et spes*, 22) inspira el cuidado pastoral de la Iglesia hacia los fieles que simplemente conviven, quienes han contraído matrimonio sólo civil o los divorciados vueltos a casar. Con el enfoque de la pedagogía divina, la Iglesia mira con amor a quienes participan en su vida de modo imperfecto: pide para ellos la gracia de la conversión; les infunde valor para hacer el bien, para hacerse cargo con amor el uno del otro y para estar al servicio de la comunidad en la que viven y trabajan [...] Cuando la unión alcanza una estabilidad notable mediante un vínculo público —y está connotada de afecto profundo, de responsabilidad por la prole, de capacidad de superar las pruebas— puede ser vista como una oportunidad para acompañar hacia el sacramento del matrimonio, allí donde sea posible».[29]

79. «Frente a situaciones difíciles y familias heridas, siempre es necesario recordar un principio general: "Los pastores, por amor a la verdad, están obligados a discernir bien las situaciones" (*Familiaris consortio*, 84). El grado de responsabilidad no es igual en todos los casos, y puede haber factores que limitan la capacidad de decisión. Por lo tanto, al mismo tiempo que la doctrina se expresa con claridad, hay que evitar los juicios que

[29] *Relación final* 2015, 53-54.

no toman en cuenta la complejidad de las diversas situaciones, y hay que estar atentos al modo en que las personas viven y sufren a causa de su condición».[30]

TRANSMISIÓN DE LA VIDA Y EDUCACIÓN DE LOS HIJOS

80. El matrimonio es en primer lugar una «íntima comunidad conyugal de vida y amor»,[31] que constituye un bien para los mismos esposos,[32] y la sexualidad «está ordenada al amor conyugal del hombre y la mujer».[33] Por eso, también «los esposos a los que Dios no ha concedido tener hijos pueden llevar una vida conyugal plena de sentido, humana y cristianamente».[34] No obstante, esta unión está ordenada a la generación «por su propio carácter natural».[35] El niño que llega «no viene de fuera a añadirse al amor mutuo de los esposos; brota del corazón mismo de ese don

---

[30] *Ibíd.*, 51.

[31] CONC. ECUM. VAT. II, Const. past. *Gaudium et spes*, sobre la Iglesia en el mundo actual, 48.

[32] Cf. *Código de Derecho Canónico*, c. 1055 § 1: «*Ad bonum coniugum atque ad prolis generationem et educationem ordinatum*».

[33] *Catecismo de la Iglesia Católica*, 2360.

[34] *Ibíd.*, 1654.

[35] CONC. ECUM. VAT. II, Const. past. *Gaudium et spes*, sobre la Iglesia en el mundo actual, 48.

recíproco, del que es fruto y cumplimiento».[36] No aparece como el final de un proceso, sino que está presente desde el inicio del amor como una característica esencial que no puede ser negada sin mutilar al mismo amor. Desde el comienzo, el amor rechaza todo impulso de cerrarse en sí mismo, y se abre a una fecundidad que lo prolonga más allá de su propia existencia. Entonces, ningún acto genital de los esposos puede negar este significado,[37] aunque por diversas razones no siempre pueda de hecho engendrar una nueva vida.

81. El hijo reclama nacer de ese amor, y no de cualquier manera, ya que él «no es un derecho sino un don»,[38] que es «el fruto del acto específico del amor conyugal de sus padres».[39] Porque «según el orden de la creación, el amor conyugal entre un hombre y una mujer y la transmisión de la vida están ordenados recíprocamente (cf. *Gn* 1, 27-28). De esta manera, el Creador hizo al hombre y a la mujer partícipes de la obra de su creación y, al mismo tiempo, los hizo instrumentos de su amor, confiando a su responsabilidad el futuro de

[36] *Catecismo de la Iglesia Católica*, 2366.

[37] Cf. Pablo VI, Carta enc. *Humanae vitae* (25 julio 1968), 11-12: *AAS* 60 (1968), 488-489.

[38] *Catecismo de la Iglesia Católica*, 2378.

[39] Congregación para la Doctrina de la Fe, Instrucción *Donum vitae* (22 febrero 1987), II, 8: *AAS* 80 (1988), 97.

la humanidad a través de la transmisión de la vida humana».[40]

82. Los Padres sinodales han mencionado que «no es difícil constatar que se está difundiendo una mentalidad que reduce la generación de la vida a una variable de los proyectos individuales o de los cónyuges».[41] La enseñanza de la Iglesia «ayuda a vivir de manera armoniosa y consciente la comunión entre los cónyuges, en todas sus dimensiones, junto a la responsabilidad generativa. Es preciso redescubrir el mensaje de la Encíclica *Humanae vitae* de Pablo VI, que hace hincapié en la necesidad de respetar la dignidad de la persona en la valoración moral de los métodos de regulación de la natalidad [...] La opción de la adopción y de la acogida expresa una fecundidad particular de la experiencia conyugal».[42] Con particular gratitud, la Iglesia «sostiene a las familias que acogen, educan y rodean con su afecto a los hijos diversamente hábiles».[43]

83. En este contexto, no puedo dejar de decir que, si la familia es el santuario de la vida, el lugar donde la vida es engendrada y cuidada, constituye

---

[40] *Relación final* 2015, 63.

[41] *Relatio Synodi* 2014, 57.

[42] *Ibíd.*, 58.

[43] *Ibíd.*, 57.

una contradicción lacerante que se convierta en el lugar donde la vida es negada y destrozada. Es tan grande el valor de una vida humana, y es tan inalienable el derecho a la vida del niño inocente que crece en el seno de su madre, que de ningún modo se puede plantear como un derecho sobre el propio cuerpo la posibilidad de tomar decisiones con respecto a esa vida, que es un fin en sí misma y que nunca puede ser un objeto de dominio de otro ser humano. La familia protege la vida en todas sus etapas y también en su ocaso. Por eso, «a quienes trabajan en las estructuras sanitarias se les recuerda la obligación moral de la objeción de conciencia. Del mismo modo, la Iglesia no sólo siente la urgencia de afirmar el derecho a la muerte natural, evitando el ensañamiento terapéutico y la eutanasia», sino también «rechaza con firmeza la pena de muerte».[44]

84. Los Padres quisieron enfatizar también que «uno de los desafíos fundamentales frente al que se encuentran las familias de hoy es seguramente el desafío educativo, todavía más arduo y complejo a causa de la realidad cultural actual y de la gran influencia de los medios de comunicación».[45] «La Iglesia desempeña un rol precioso de apoyo a las familias, partiendo de la iniciación

[44] *Relación final* 2015, 64.

[45] *Relatio Synodi* 2014, 60.

cristiana, a través de comunidades acogedoras».[46] Pero me parece muy importante recordar que la educación integral de los hijos es «obligación gravísima», a la vez que «derecho primario» de los padres.[47] No es sólo una carga o un peso, sino también un derecho esencial e insustituible que están llamados a defender y que nadie debería pretender quitarles. El Estado ofrece un servicio educativo de manera subsidiaria, acompañando la función indelegable de los padres, que tienen derecho a poder elegir con libertad el tipo de educación —accesible y de calidad— que quieran dar a sus hijos según sus convicciones. La escuela no sustituye a los padres sino que los complementa. Este es un principio básico: «Cualquier otro colaborador en el proceso educativo debe actuar en nombre de los padres, con su consenso y, en cierta medida, incluso por encargo suyo».[48] Pero «se ha abierto una brecha entre familia y sociedad, entre familia y escuela, el pacto educativo hoy se ha roto; y así, la alianza educativa de la sociedad con la familia ha entrado en crisis».[49]

---

[46] *Ibíd.*, 61.

[47] *Código de Derecho Canónico*, c. 1136; cf. *Código de los Cánones de las Iglesias Orientales*, c. 627.

[48] Pontificio Consejo para la Familia, *Sexualidad humana: verdad y significado* (8 diciembre 1995), 23.

[49] *Catequesis* (20 mayo 2015): *L'Osservatore Romano*, ed. semanal en lengua española, 22 de mayo de 2015, p. 16.

85. La Iglesia está llamada a colaborar, con una acción pastoral adecuada, para que los propios padres puedan cumplir con su misión educativa. Siempre debe hacerlo ayudándoles a valorar su propia función, y a reconocer que quienes han recibido el sacramento del matrimonio se convierten en verdaderos ministros educativos, porque cuando forman a sus hijos edifican la Iglesia,[50] y al hacerlo aceptan una vocación que Dios les propone.[51]

La familia y la Iglesia

86. «Con íntimo gozo y profunda consolación, la Iglesia mira a las familias que permanecen fieles a las enseñanzas del Evangelio, agradeciéndoles el testimonio que dan y alentándolas. Gracias a ellas, en efecto, se hace creíble la belleza del matrimonio indisoluble y fiel para siempre. En la familia, "que se podría llamar iglesia doméstica" (*Lumen gentium*, 11), madura la primera experiencia eclesial de la comunión entre personas, en la que se refleja, por gracia, el misterio de la Santa Trinidad. "Aquí se aprende la paciencia y el gozo

[50] Cf. Juan Pablo II, Exhort. ap. *Familiaris consortio* (22 noviembre 1981), 38: AAS 74 (1982), 129.

[51] Cf. *Discurso a la Asamblea diocesana de Roma* (14 junio 2015): *L'Osservatore Romano*, ed. semanal en lengua española, 19 de junio de 2015, p. 6.

del trabajo, el amor fraterno, el perdón generoso, incluso reiterado, y sobre todo el culto divino por medio de la oración y la ofrenda de la propia vida" (*Catecismo de la Iglesia Católica*, 1657)».[52]

87. La Iglesia es familia de familias, constantemente enriquecida por la vida de todas las iglesias domésticas. Por lo tanto, «en virtud del sacramento del matrimonio cada familia se convierte, a todos los efectos, en un bien para la Iglesia. En esta perspectiva, ciertamente también será un don valioso, para el hoy de la Iglesia, considerar la reciprocidad entre familia e Iglesia: la Iglesia es un bien para la familia, la familia es un bien para la Iglesia. Custodiar este don sacramental del Señor corresponde no sólo a la familia individualmente sino a toda la comunidad cristiana».[53]

88. El amor vivido en las familias es una fuerza constante para la vida de la Iglesia. «El fin unitivo del matrimonio es una llamada constante a acrecentar y profundizar este amor. En su unión de amor los esposos experimentan la belleza de la paternidad y la maternidad; comparten proyectos y fatigas, deseos y aficiones; aprenden a cuidarse el uno al otro y a perdonarse mutuamente. En este amor celebran sus momentos felices y se apoyan

---

[52] *Relatio Synodi* 2014, 23.

[53] *Relación final* 2015, 52.

en los episodios difíciles de su historia de vida [...] La belleza del don recíproco y gratuito, la alegría por la vida que nace y el cuidado amoroso de todos sus miembros, desde los pequeños a los ancianos, son sólo algunos de los frutos que hacen única e insustituible la respuesta a la vocación de la familia»,[54] tanto para la Iglesia como para la sociedad entera.

[54] *Ibíd.*, 49-50.

CAPÍTULO CUARTO

EL AMOR EN EL MATRIMONIO

89. Todo lo dicho no basta para manifestar el evangelio del matrimonio y de la familia si no nos detenemos especialmente a hablar de amor. Porque no podremos alentar un camino de fidelidad y de entrega recíproca si no estimulamos el crecimiento, la consolidación y la profundización del amor conyugal y familiar. En efecto, la gracia del sacramento del matrimonio está destinada ante todo «a perfeccionar el amor de los cónyuges».[1] También aquí se aplica que, «podría tener fe como para mover montañas; si no tengo amor, no soy nada. Podría repartir en limosnas todo lo que tengo y aun dejarme quemar vivo; si no tengo amor, de nada me sirve» (*1Co* 13, 2-3). Pero la palabra «amor», una de las más utilizadas, aparece muchas veces desfigurada.[2]

[1] *Catecismo de la Iglesia Católica*, 1641.

[2] Cf. Benedicto XVI, Carta enc. *Deus caritas est* (25 diciembre 2005), 2: *AAS* 98 (2006), 218.

90. En el así llamado himno de la caridad escrito por san Pablo, vemos algunas características del amor verdadero:

«El amor es paciente,
es servicial;
el amor no tiene envidia,
no hace alarde,
no es arrogante,
no obra con dureza,
no busca su propio interés,
no se irrita,
no lleva cuentas del mal,
no se alegra de la injusticia,
sino que goza con la verdad.
Todo lo disculpa,
todo lo cree,
todo lo espera,
todo lo soporta» (*1Co* 13, 4-7).

Esto se vive y se cultiva en medio de la vida que comparten todos los días los esposos, entre sí y con sus hijos. Por eso es valioso detenerse a precisar el sentido de las expresiones de este texto, para intentar una aplicación a la existencia concreta de cada familia.

Paciencia

91. La primera expresión utilizada es *makrothymei*. La traducción no es simplemente que «todo lo soporta», porque esa idea está expresada al final del v. 7. El sentido se toma de la traducción griega del Antiguo Testamento, donde dice que Dios es «lento a la ira» (*Ex* 34, 6; *Nm* 14, 18). Se muestra cuando la persona no se deja llevar por los impulsos y evita agredir. Es una cualidad del Dios de la Alianza que convoca a su imitación también dentro de la vida familiar. Los textos en los que Pablo usa este término se deben leer con el trasfondo del libro de la *Sabiduría* (cf. 11, 23; 12, 2.15-18); al mismo tiempo que se alaba la moderación de Dios para dar espacio al arrepentimiento, se insiste en su poder que se manifiesta cuando actúa con misericordia. La paciencia de Dios es ejercicio de la misericordia con el pecador y manifiesta el verdadero poder.

92. Tener paciencia no es dejar que nos maltraten continuamente, o tolerar agresiones físicas, o permitir que nos traten como objetos. El problema es cuando exigimos que las relaciones sean celestiales o que las personas sean perfectas, o cuando nos colocamos en el centro y esperamos que sólo se cumpla la propia voluntad. Entonces todo nos impacienta, todo nos lleva a reaccionar con agresividad. Si no cultivamos la paciencia,

siempre tendremos excusas para responder con ira, y finalmente nos convertiremos en personas que no saben convivir, antisociales, incapaces de postergar los impulsos, y la familia se volverá un campo de batalla. Por eso, la Palabra de Dios nos exhorta: «Destierren de ustedes la amargura, la ira, los enfados e insultos y toda la maldad» (*Ef* 4, 31). Esta paciencia se afianza cuando reconozco que el otro también tiene derecho a vivir en esta tierra junto a mí, así como es. No importa si es un estorbo para mí, si altera mis planes, si me molesta con su modo de ser o con sus ideas, si no es todo lo que yo esperaba. El amor tiene siempre un sentido de profunda compasión que lleva a aceptar al otro como parte de este mundo, también cuando actúa de un modo diferente a lo que yo desearía.

Actitud de servicio

93. Sigue la palabra *jrestéuetai*, que es única en toda la Biblia, derivada de *jrestós* (persona buena, que muestra su bondad en sus obras). Pero, por el lugar en que está, en estricto paralelismo con el verbo precedente, es un complemento suyo. Así, Pablo quiere aclarar que la «paciencia» nombrada en primer lugar no es una postura totalmente pasiva, sino que está acompañada por una actividad, por una reacción dinámica y creativa ante los

demás. Indica que el amor beneficia y promueve a los demás. Por eso se traduce como «servicial».

94. En todo el texto se ve que Pablo quiere insistir en que el amor no es sólo un sentimiento, sino que se debe entender en el sentido que tiene el verbo «amar» en hebreo: es «hacer el bien». Como decía san Ignacio de Loyola, «el amor se debe poner más en las obras que en las palabras».[3] Así puede mostrar toda su fecundidad, y nos permite experimentar la felicidad de dar, la nobleza y la grandeza de donarse sobreabundantemente, sin medir, sin reclamar pagos, por el solo gusto de dar y de servir.

Sanando la envidia

95. Luego se rechaza como contraria al amor una actitud expresada como *zeloi* (celos, envidia). Significa que en el amor no hay lugar para sentir malestar por el bien de otro (cf. *Hch* 7, 9; 17, 5). La envidia es una tristeza por el bien ajeno, que muestra que no nos interesa la felicidad de los demás, ya que estamos exclusivamente concentrados en el propio bienestar. Mientras el amor nos hace salir de nosotros mismos, la envidia nos lleva a centrarnos en el propio yo. El verdadero amor valora los logros ajenos, no los siente como una

---

[3] *Ejercicios Espirituales*, Contemplación para alcanzar amor, 230.

amenaza, y se libera del sabor amargo de la envidia. Acepta que cada uno tiene dones diferentes y distintos caminos en la vida. Entonces, procura descubrir su propio camino para ser feliz, dejando que los demás encuentren el suyo.

96. En definitiva, se trata de cumplir aquello que pedían los dos últimos mandamientos de la Ley de Dios: «No codiciarás los bienes de tu prójimo. No codiciarás la mujer de tu prójimo, ni su esclavo, ni su esclava, ni su buey, ni su asno, ni nada que sea de él» (*Ex* 20, 17). El amor nos lleva a una sentida valoración de cada ser humano, reconociendo su derecho a la felicidad. Amo a esa persona, la miro con la mirada de Dios Padre, que nos regala todo «para que lo disfrutemos» (*1Tm* 6, 17), y entonces acepto en mi interior que pueda disfrutar de un buen momento. Esta misma raíz del amor, en todo caso, es lo que me lleva a rechazar la injusticia de que algunos tengan demasiado y otros no tengan nada, o lo que me mueve a buscar que también los descartables de la sociedad puedan vivir un poco de alegría. Pero eso no es envidia, sino deseos de equidad.

Sin hacer alarde ni agrandarse

97. Sigue el término *perpereuotai,* que indica la vanagloria, el ansia de mostrarse como superior para impresionar a otros con una actitud pedante

y algo agresiva. Quien ama, no sólo evita hablar demasiado de sí mismo, sino que además, porque está centrado en los demás, sabe ubicarse en su lugar sin pretender ser el centro. La palabra siguiente –*physioutai*– es muy semejante, porque indica que el amor no es arrogante. Literalmente expresa que no se «agranda» ante los demás, e indica algo más sutil. No es sólo una obsesión por mostrar las propias cualidades, sino que además se pierde el sentido de la realidad. Se considera más grande de lo que es, porque se cree más «espiritual» o «sabio». Pablo usa este verbo otras veces, por ejemplo para decir que «la ciencia hincha, el amor en cambio edifica» (*1Co* 8, 1). Es decir, algunos se creen grandes porque saben más que los demás, y se dedican a exigirles y a controlarlos, cuando en realidad lo que nos hace grandes es el amor que comprende, cuida, protege al débil. En otro versículo también lo aplica para criticar a los que se «agrandan» (cf. *1Co* 4, 18), pero en realidad tienen más palabrería que verdadero «poder» del Espíritu (cf. *1Co* 4, 19).

98. Es importante que los cristianos vivan esto en su modo de tratar a los familiares poco formados en la fe, frágiles o menos firmes en sus convicciones. A veces ocurre lo contrario: los supuestamente más adelantados dentro de su familia, se vuelven arrogantes e insoportables. La

actitud de humildad aparece aquí como algo que es parte del amor, porque para poder comprender, disculpar o servir a los demás de corazón, es indispensable sanar el orgullo y cultivar la humildad. Jesús recordaba a sus discípulos que en el mundo del poder cada uno trata de dominar a otro, y por eso les dice: «No ha de ser así entre ustedes» (*Mt* 20, 26). La lógica del amor cristiano no es la de quien se siente más que otros y necesita hacerles sentir su poder, sino que «el que quiera ser el primero entre ustedes, que sea su servidor» (*Mt* 20, 27). En la vida familiar no puede reinar la lógica del dominio de unos sobre otros, o la competición para ver quién es más inteligente o poderoso, porque esa lógica acaba con el amor. También para la familia es este consejo: «Tengan sentimientos de humildad unos con otros, porque Dios resiste a los soberbios, pero da su gracia a los humildes» (*1P* 5, 5).

Amabilidad

99. Amar también es volverse amable, y allí toma sentido la palabra *asjemonéi*. Quiere indicar que el amor no obra con rudeza, no actúa de modo descortés, no es duro en el trato. Sus modos, sus palabras, sus gestos, son agradables y no ásperos ni rígidos. Detesta hacer sufrir a los demás. La cortesía «es una escuela de sensibilidad y desinterés», que exige a la persona «cultivar su mente y

sus sentidos, aprender a sentir, hablar y, en ciertos momentos, a callar».[4] Ser amable no es un estilo que un cristiano puede elegir o rechazar. Como parte de las exigencias irrenunciables del amor, «todo ser humano está obligado a ser afable con los que lo rodean».[5] Cada día, «entrar en la vida del otro, incluso cuando forma parte de nuestra vida, pide la delicadeza de una actitud no invasora, que renueve la confianza y el respeto [...] El amor, cuando es más íntimo y profundo, tanto más exige el respeto de la libertad y la capacidad de esperar que el otro abra la puerta de su corazón».[6]

100. Para disponerse a un verdadero encuentro con el otro, se requiere una mirada amable puesta en él. Esto no es posible cuando reina un pesimismo que destaca defectos y errores ajenos, quizá para compensar los propios complejos. Una mirada amable permite que no nos detengamos tanto en sus límites, y así podamos tolerarlo y unirnos en un proyecto común, aunque seamos diferentes. El amor amable genera vínculos, cultiva lazos, crea nuevas redes de integración, construye una trama social firme. Así se protege a sí mismo, ya que sin sentido de pertenencia no se

---

[4] Octavio Paz, *La llama doble*, Barcelona 1993, 35.

[5] Tomás de Aquino, *Summa Theologiae* II-II, q. 114, a. 2, ad 1.

[6] *Catequesis* (13 mayo 2015): *L'Osservatore Romano*, ed. semanal en lengua española, 15 de mayo de 2015, p. 9.

puede sostener una entrega por los demás, cada uno termina buscando sólo su conveniencia y la convivencia se torna imposible. Una persona antisocial cree que los demás existen para satisfacer sus necesidades, y que cuando lo hacen sólo cumplen con su deber. Por lo tanto, no hay lugar para la amabilidad del amor y su lenguaje. El que ama es capaz de decir palabras de aliento, que reconfortan, que fortalecen, que consuelan, que estimulan. Veamos, por ejemplo, algunas palabras que decía Jesús a las personas: «¡Ánimo hijo!» (*Mt* 9, 2). «¡Qué grande es tu fe!» (*Mt* 15, 28). «¡Levántate!» (*Mc* 5, 41). «Vete en paz» (*Lc* 7, 50). «No tengan miedo» (*Mt* 14, 27). No son palabras que humillan, que entristecen, que irritan, que desprecian. En la familia hay que aprender este lenguaje amable de Jesús.

Desprendimiento

101. Hemos dicho muchas veces que para amar a los demás primero hay que amarse a sí mismo. Sin embargo, este himno al amor afirma que el amor «no busca su propio interés», o «no busca lo que es de él». También se usa esta expresión en otro texto: «No se encierren en sus intereses, sino busquen todos el interés de los demás» (*Flp* 2, 4). Ante una afirmación tan clara de las Escrituras, hay que evitar darle prioridad al amor

a sí mismo como si fuera más noble que el don de sí a los demás. Una cierta prioridad del amor a sí mismo sólo puede entenderse como una condición psicológica, en cuanto quien es incapaz de amarse a sí mismo encuentra dificultades para amar a los demás: «El que es tacaño consigo mismo, ¿con quién será generoso? [...] Nadie peor que el avaro consigo mismo» (*Si* 14, 5-6).

102. Pero el mismo santo Tomás de Aquino ha explicado que «pertenece más a la caridad querer amar que querer ser amado»[7] y que, de hecho, «las madres, que son las que más aman, buscan más amar que ser amadas».[8] Por eso, el amor puede ir más allá de la justicia y desbordarse gratis, «sin esperar nada a cambio» (*Lc* 6, 35), hasta llegar al amor más grande, que es «dar la vida» por los demás (*Jn* 15, 13). ¿Todavía es posible este desprendimiento que permite dar gratis y dar hasta el fin? Seguramente es posible, porque es lo que pide el Evangelio: «Lo que han recibido gratis, denlo gratis» (*Mt* 10, 8).

Sin violencia interior

103. Si la primera expresión del himno nos invitaba a la paciencia que evita reaccionar

---

[7] *Summa Theologiae* II-II, q. 27, a. 1, ad 2.

[8] *Ibíd.*, II-II, q. 27, a. 1.

bruscamente ante las debilidades o errores de los demás, ahora aparece otra palabra —*paroxýnetai*—, que se refiere a una reacción interior de indignación provocada por algo externo. Se trata de una violencia interna, de una irritación no manifiesta que nos coloca a la defensiva ante los otros, como si fueran enemigos molestos que hay que evitar. Alimentar esa agresividad íntima no sirve para nada. Sólo nos enferma y termina aislándonos. La indignación es sana cuando nos lleva a reaccionar ante una grave injusticia, pero es dañina cuando tiende a impregnar todas nuestras actitudes ante los otros.

104. El Evangelio invita más bien a mirar la viga en el propio ojo (cf. *Mt* 7, 5), y los cristianos no podemos ignorar la constante invitación de la Palabra de Dios a no alimentar la ira: «No te dejes vencer por el mal» (*Rm* 12, 21). «No nos cansemos de hacer el bien» (*Ga* 6, 9). Una cosa es sentir la fuerza de la agresividad que brota y otra es consentirla, dejar que se convierta en una actitud permanente: «Si se indignan, no lleguen a pecar; que la puesta del sol no los sorprenda en su enojo» (*Ef* 4, 26). Por ello, nunca hay que terminar el día sin hacer las paces en la familia. Y, «¿cómo debo hacer las paces? ¿Ponerme de rodillas? ¡No! Sólo un pequeño gesto, algo pequeño, y vuelve la armonía familiar. Basta una caricia, sin palabras. Pero

nunca terminar el día en familia sin hacer las paces».[9] La reacción interior ante una molestia que nos causen los demás debería ser ante todo bendecir en el corazón, desear el bien del otro, pedir a Dios que lo libere y lo sane: «Respondan con una bendición, porque para esto han sido llamados: para heredar una bendición» (*1P* 3, 9). Si tenemos que luchar contra un mal, hagámoslo, pero siempre digamos «no» a la violencia interior.

Perdón

105. Si permitimos que un mal sentimiento penetre en nuestras entrañas, dejamos lugar a ese rencor que se añeja en el corazón. La frase *logízetai to kakón* significa «toma en cuenta el mal», «lo lleva anotado», es decir, es rencoroso. Lo contrario es el perdón, un perdón que se fundamenta en una actitud positiva, que intenta comprender la debilidad ajena y trata de buscarle excusas a la otra persona, como Jesús cuando dijo: «Padre, perdónalos, porque no saben lo que hacen» (*Lc* 23, 34). Pero la tendencia suele ser la de buscar más y más culpas, la de imaginar más y más maldad, la de suponer todo tipo de malas intenciones, y así el rencor va creciendo y se arraiga. De ese modo, cualquier error o caída del cónyuge puede

---

[9] *Catequesis* (13 mayo 2015): *L'Osservatore Romano*, ed. semanal en lengua española, 15 de mayo de 2015, p. 9.

dañar el vínculo amoroso y la estabilidad familiar. El problema es que a veces se le da a todo la misma gravedad, con el riesgo de volverse crueles ante cualquier error ajeno. La justa reivindicación de los propios derechos, se convierte en una persistente y constante sed de venganza más que en una sana defensa de la propia dignidad.

106. Cuando hemos sido ofendidos o desilusionados, el perdón es posible y deseable, pero nadie dice que sea fácil. La verdad es que «la comunión familiar puede ser conservada y perfeccionada sólo con un gran espíritu de sacrificio. Exige, en efecto, una pronta y generosa disponibilidad de todos y cada uno a la comprensión, a la tolerancia, al perdón, a la reconciliación. Ninguna familia ignora que el egoísmo, el desacuerdo, las tensiones, los conflictos atacan con violencia y a veces hieren mortalmente la propia comunión: de aquí las múltiples y variadas formas de división en la vida familiar».[10]

107. Hoy sabemos que para poder perdonar necesitamos pasar por la experiencia liberadora de comprendernos y perdonarnos a nosotros mismos. Tantas veces nuestros errores, o la mirada crítica de las personas que amamos, nos han llevado a

---

[10] Juan Pablo II, Exhort. ap. *Familiaris consortio* (22 noviembre 1981), 21: *AAS* 74 (1982), 106.

perder el cariño hacia nosotros mismos. Eso hace que terminemos guardándonos de los otros, escapando del afecto, llenándonos de temores en las relaciones interpersonales. Entonces, poder culpar a otros se convierte en un falso alivio. Hace falta orar con la propia historia, aceptarse a sí mismo, saber convivir con las propias limitaciones, e incluso perdonarse, para poder tener esa misma actitud con los demás.

108. Pero esto supone la experiencia de ser perdonados por Dios, justificados gratuitamente y no por nuestros méritos. Fuimos alcanzados por un amor previo a toda obra nuestra, que siempre da una nueva oportunidad, promueve y estimula. Si aceptamos que el amor de Dios es incondicional, que el cariño del Padre no se debe comprar ni pagar, entonces podremos amar más allá de todo, perdonar a los demás aun cuando hayan sido injustos con nosotros. De otro modo, nuestra vida en familia dejará de ser un lugar de comprensión, acompañamiento y estímulo, y será un espacio de permanente tensión o de mutuo castigo.

Alegrarse con los demás

109. La expresión *jairei epi te adikía* indica algo negativo afincado en el secreto del corazón de la persona. Es la actitud venenosa del que se alegra cuando ve que se le hace injusticia a alguien. La

frase se complementa con la siguiente, que lo dice de modo positivo: *sygjairei te alétheia*: se regocija con la verdad. Es decir, se alegra con el bien del otro, cuando se reconoce su dignidad, cuando se valoran sus capacidades y sus buenas obras. Eso es imposible para quien necesita estar siempre comparándose o compitiendo, incluso con el propio cónyuge, hasta el punto de alegrarse secretamente por sus fracasos.

110. Cuando una persona que ama puede hacer un bien a otro, o cuando ve que al otro le va bien en la vida, lo vive con alegría, y de ese modo da gloria a Dios, porque «Dios ama al que da con alegría» (*2Co* 9, 7). Nuestro Señor aprecia de manera especial a quien se alegra con la felicidad del otro. Si no alimentamos nuestra capacidad de gozar con el bien del otro y, sobre todo, nos concentramos en nuestras propias necesidades, nos condenamos a vivir con poca alegría, ya que como ha dicho Jesús «hay más felicidad en dar que en recibir» (*Hch* 20, 35). La familia debe ser siempre el lugar donde alguien, que logra algo bueno en la vida, sabe que allí lo van a celebrar con él.

Disculpa todo

111. El elenco se completa con cuatro expresiones que hablan de una totalidad: «todo». Disculpa todo, cree todo, espera todo, soporta todo.

De este modo, se remarca con fuerza el dinamismo contracultural del amor, capaz de hacerle frente a cualquier cosa que pueda amenazarlo.

112. En primer lugar se dice que todo lo disculpa *panta stegei*. Se diferencia de «no tiene en cuenta el mal», porque este término tiene que ver con el uso de la lengua; puede significar «guardar silencio» sobre lo malo que puede haber en otra persona. Implica limitar el juicio, contener la inclinación a lanzar una condena dura e implacable: «No condenen y no serán condenados» (*Lc* 6, 37). Aunque vaya en contra de nuestro habitual uso de la lengua, la Palabra de Dios nos pide: «No hablen mal unos de otros, hermanos» (*St* 4, 11). Detenerse a dañar la imagen del otro es un modo de reforzar la propia, de descargar los rencores y envidias sin importar el daño que causemos. Muchas veces se olvida de que la difamación puede ser un gran pecado, una seria ofensa a Dios, cuando afecta gravemente la buena fama de los demás, ocasionándoles daños muy difíciles de reparar. Por eso, la Palabra de Dios es tan dura con la lengua, diciendo que «es un mundo de iniquidad» que «contamina a toda la persona» (*St* 3, 6), como un «mal incansable cargado de veneno mortal» (*St* 3, 8). Si «con ella maldecimos a los hombres, creados a semejanza de Dios» (*St* 3, 9), el amor cuida la imagen de los demás, con una

delicadeza que lleva a preservar incluso la buena fama de los enemigos. En la defensa de la ley divina nunca debemos olvidarnos de esta exigencia del amor.

113. Los esposos que se aman y se pertenecen, hablan bien el uno del otro, intentan mostrar el lado bueno del cónyuge más allá de sus debilidades y errores. En todo caso, guardan silencio para no dañar su imagen. Pero no es sólo un gesto externo, sino que brota de una actitud interna. Tampoco es la ingenuidad de quien pretende no ver las dificultades y los puntos débiles del otro, sino la amplitud de miras de quien coloca esas debilidades y errores en su contexto. Recuerda que esos defectos son sólo una parte, no son la totalidad del ser del otro. Un hecho desagradable en la relación no es la totalidad de esa relación. Entonces, se puede aceptar con sencillez que todos somos una compleja combinación de luces y de sombras. El otro no es sólo eso que a mí me molesta. Es mucho más que eso. Por la misma razón, no le exijo que su amor sea perfecto para valorarlo. Me ama como es y como puede, con sus límites, pero que su amor sea imperfecto no significa que sea falso o que no sea real. Es real, pero limitado y terreno. Por eso, si le exijo demasiado, me lo hará saber de alguna manera, ya que no podrá ni aceptará jugar el papel de un ser divino ni estar al servicio de todas mis

necesidades. El amor convive con la imperfección, la disculpa, y sabe guardar silencio ante los límites del ser amado.

Confía

114. *Panta pisteuei*, «todo lo cree», por el contexto, no se debe entender «fe» en el sentido teológico, sino en el sentido corriente de «confianza». No se trata sólo de no sospechar que el otro esté mintiendo o engañando. Esa confianza básica reconoce la luz encendida por Dios, que se esconde detrás de la oscuridad, o la brasa que todavía arde debajo de las cenizas.

115. Esta misma confianza hace posible una relación de libertad. No es necesario controlar al otro, seguir minuciosamente sus pasos, para evitar que escape de nuestros brazos. El amor confía, deja en libertad, renuncia a controlarlo todo, a poseer, a dominar. Esa libertad, que hace posible espacios de autonomía, apertura al mundo y nuevas experiencias, permite que la relación se enriquezca y no se convierta en un círculo cerrado sin horizontes. Así, los cónyuges, al reencontrarse, pueden vivir la alegría de compartir lo que han recibido y aprendido fuera del círculo familiar. Al mismo tiempo, hace posible la sinceridad y la transparencia, porque cuando uno sabe que los demás confían en él y valoran la bondad básica de su ser, entonces

sí se muestra tal cual es, sin ocultamientos. Alguien que sabe que siempre sospechan de él, que lo juzgan sin compasión, que no lo aman de manera incondicional, preferirá guardar sus secretos, esconder sus caídas y debilidades, fingir lo que no es. En cambio, una familia donde reina una básica y cariñosa confianza, y donde siempre se vuelve a confiar a pesar de todo, permite que brote la verdadera identidad de sus miembros, y hace que espontáneamente se rechacen el engaño, la falsedad o la mentira.

Espera

116. *Panta elpízei*: no desespera del futuro. Conectado con la palabra anterior, indica la espera de quien sabe que el otro puede cambiar. Siempre espera que sea posible una maduración, un sorpresivo brote de belleza, que las potencialidades más ocultas de su ser germinen algún día. No significa que todo vaya a cambiar en esta vida. Implica aceptar que algunas cosas no sucedan como uno desea, sino que quizá Dios escriba derecho con las líneas torcidas de una persona y saque algún bien de los males que ella no logre superar en esta tierra.

117. Aquí se hace presente la esperanza en todo su sentido, porque incluye la certeza de una vida más allá de la muerte. Esa persona, con todas

sus debilidades, está llamada a la plenitud del cielo. Allí, completamente transformada por la resurrección de Cristo, ya no existirán sus fragilidades, sus oscuridades ni sus patologías. Allí el verdadero ser de esa persona brillará con toda su potencia de bien y de hermosura. Eso también nos permite, en medio de las molestias de esta tierra, contemplar a esa persona con una mirada sobrenatural, a la luz de la esperanza, y esperar esa plenitud que un día recibirá en el Reino celestial, aunque ahora no sea visible.

Soporta todo

118. *Panta hypoménei* significa que sobrelleva con espíritu positivo todas las contrariedades. Es mantenerse firme en medio de un ambiente hostil. No consiste sólo en tolerar algunas cosas molestas, sino en algo más amplio: una resistencia dinámica y constante, capaz de superar cualquier desafío. Es amor a pesar de todo, aun cuando todo el contexto invite a otra cosa. Manifiesta una cuota de heroísmo tozudo, de potencia en contra de toda corriente negativa, una opción por el bien que nada puede derribar. Esto me recuerda aquellas palabras de Martin Luther King, cuando volvía a optar por el amor fraterno aun en medio de las peores persecuciones y humillaciones: «La persona que más te odia, tiene algo bueno en él; incluso la nación que

más odia, tiene algo bueno en ella; incluso la raza que más odia, tiene algo bueno en ella. Y cuando llegas al punto en que miras el rostro de cada hombre y ves muy dentro de él lo que la religión llama la "imagen de Dios", comienzas a amarlo "a pesar de". No importa lo que haga, ves la imagen de Dios allí. Hay un elemento de bondad del que nunca puedes deshacerte [...] Otra manera para amar a tu enemigo es esta: cuando se presenta la oportunidad para que derrotes a tu enemigo, ese es el momento en que debes decidir no hacerlo [...] Cuando te elevas al nivel del amor, de su gran belleza y poder, lo único que buscas derrotar es los sistemas malignos. A las personas atrapadas en ese sistema, las amas, pero tratas de derrotar ese sistema [...] Odio por odio sólo intensifica la existencia del odio y del mal en el universo. Si yo te golpeo y tú me golpeas, y te devuelvo el golpe y tú me lo devuelves, y así sucesivamente, es evidente que se llega hasta el infinito. Simplemente nunca termina. En algún lugar, alguien debe tener un poco de sentido, y esa es la persona fuerte. La persona fuerte es la persona que puede romper la cadena del odio, la cadena del mal [...] Alguien debe tener suficiente religión y moral para cortarla e inyectar dentro de la propia estructura del universo ese elemento fuerte y poderoso del amor».[11]

119. En la vida familiar hace falta cultivar esa fuerza del amor, que permite luchar contra el mal que la amenaza. El amor no se deja dominar por el rencor, el desprecio hacia las personas, el deseo de lastimar o de cobrarse algo. El ideal cristiano, y de modo particular en la familia, es amor a pesar de todo. A veces me admira, por ejemplo, la actitud de personas que han debido separarse de su cónyuge para protegerse de la violencia física y, sin embargo, por la caridad conyugal que sabe ir más allá de los sentimientos, han sido capaces de procurar su bien, aunque sea a través de otros, en momentos de enfermedad, de sufrimiento o de dificultad. Eso también es amor a pesar de todo.

Crecer en la caridad conyugal

120. El himno de san Pablo, que hemos recorrido, nos permite dar paso a la caridad conyugal. Es el amor que une a los esposos,[12] santificado, enriquecido e iluminado por la gracia del sacramento

[11] *Sermón en la iglesia Bautista de la Avenida Dexter*, Montgomery, Alabama, 17 de noviembre de 1957.

[12] Santo Tomás de Aquino entiende el amor como «*vis unitiva*» (*Summa Theologiae* I, a. 20, 1, ad 3), retomando una expresión de Dionisio Ps. Areopagita (*De divinis nominibus*, 4, 12: PG, 709).

del matrimonio. Es una «unión afectiva»,[13] espiritual y oblativa, pero que recoge en sí la ternura de la amistad y la pasión erótica, aunque es capaz de subsistir aun cuando los sentimientos y la pasión se debiliten. El papa Pío XI enseñaba que ese amor permea todos los deberes de la vida conyugal y «tiene cierto principado de nobleza».[14] Porque ese amor fuerte, derramado por el Espíritu Santo, es reflejo de la Alianza inquebrantable entre Cristo y la humanidad que culminó en la entrega hasta el fin, en la cruz: «El Espíritu que infunde el Señor renueva el corazón y hace al hombre y a la mujer capaces de amarse como Cristo nos amó. El amor conyugal alcanza de este modo la plenitud a la que está ordenado interiormente, la caridad conyugal».[15]

121. El matrimonio es un signo precioso, porque «cuando un hombre y una mujer celebran el sacramento del matrimonio, Dios, por decirlo así, se "refleja" en ellos, imprime en ellos los propios rasgos y el carácter indeleble de su amor. El matrimonio es la imagen del amor de Dios por nosotros. También Dios, en efecto, es comunión:

---

[13] Tomás de Aquino, *Summa Theologiae* II-II, q. 27, a. 2.

[14] Carta enc. *Casti connubii* (31 diciembre 1930): *AAS* 22 (1930), 547-548.

[15] Juan Pablo II, Exhort. ap. *Familiaris consortio* (22 noviembre 1981), 13: *AAS* 74 (1982), 94.

las tres Personas del Padre, Hijo y Espíritu Santo viven desde siempre y para siempre en unidad perfecta. Y es precisamente este el misterio del matrimonio: Dios hace de los dos esposos una sola existencia».[16] Esto tiene consecuencias muy concretas y cotidianas, porque los esposos, «en virtud del sacramento, son investidos de una auténtica misión, para que puedan hacer visible, a partir de las cosas sencillas, ordinarias, el amor con el que Cristo ama a su Iglesia, que sigue entregando la vida por ella».[17]

122. Sin embargo, no conviene confundir planos diferentes: no hay que arrojar sobre dos personas limitadas el tremendo peso de tener que reproducir de manera perfecta la unión que existe entre Cristo y su Iglesia, porque el matrimonio como signo implica «un proceso dinámico, que avanza gradualmente con la progresiva integración de los dones de Dios».[18]

---

[16] *Catequesis* (2 abril 2014): *L'Osservatore Romano*, ed. semanal en lengua española, 4 de abril de 2014, p. 16.

[17] *Ibíd.*

[18] Juan Pablo II, Exhort. ap. *Familiaris consortio* (22 noviembre 1981), 9: *AAS* 74 (1982), 90.

123. Después del amor que nos une a Dios, el amor conyugal es la «máxima amistad».[19] Es una unión que tiene todas las características de una buena amistad: búsqueda del bien del otro, reciprocidad, intimidad, ternura, estabilidad, y una semejanza entre los amigos que se va construyendo con la vida compartida. Pero el matrimonio agrega a todo ello una exclusividad indisoluble, que se expresa en el proyecto estable de compartir y construir juntos toda la existencia. Seamos sinceros y reconozcamos las señales de la realidad: quien está enamorado no se plantea que esa relación pueda ser sólo por un tiempo; quien vive intensamente la alegría de casarse no está pensando en algo pasajero; quienes acompañan la celebración de una unión llena de amor, aunque frágil, esperan que pueda perdurar en el tiempo; los hijos no sólo quieren que sus padres se amen, sino también que sean fieles y sigan siempre juntos. Estos y otros signos muestran que en la naturaleza misma del amor conyugal está la apertura a lo definitivo. La unión que cristaliza en la promesa matrimonial para siempre, es más que una formalidad social o una tradición, porque arraiga en las inclinaciones espontáneas de la persona humana. Y, para los

---

[19] Tomás de Aquino, *Summa contra Gentiles*, III, 123; cf. Aristóteles, *Ética a Nicómaco*, 8, 12 (ed. Bywater, Oxford 1984), 174.

creyentes, es una alianza ante Dios que reclama fidelidad: «El Señor es testigo entre tú y la esposa de tu juventud, a la que tú traicionaste, siendo que era tu compañera, la mujer de tu alianza [...] No traiciones a la esposa de tu juventud. Pues yo odio el repudio» (*Ml* 2, 14.15-16).

124. Un amor débil o enfermo, incapaz de aceptar el matrimonio como un desafío que requiere luchar, renacer, reinventarse y empezar siempre de nuevo hasta la muerte, no puede sostener un nivel alto de compromiso. Cede a la cultura de lo provisorio, que impide un proceso constante de crecimiento. Pero «prometer un amor para siempre es posible cuando se descubre un plan que sobrepasa los propios proyectos, que nos sostiene y nos permite entregar totalmente nuestro futuro a la persona amada».[20] Que ese amor pueda atravesar todas las pruebas y mantenerse fiel en contra de todo, supone el don de la gracia que lo fortalece y lo eleva. Como decía san Roberto Belarmino: «El hecho de que uno solo se una con una sola en un lazo indisoluble, de modo que no puedan separarse, cualesquiera sean las dificultades, y aun cuando se haya perdido la esperanza de la prole, esto no puede ocurrir sin un gran misterio».[21]

---

[20] Carta enc. *Lumen fidei* (29 junio 2013), 52: AAS 105 (2013), 590.

[21] *De sacramento matrimonii*, 1, 2: en Id., *Disputationes*, III, 5, 3 (ed. Giuliano, Nápoles 1858), 778.

125. El matrimonio, además, es una amistad que incluye las notas propias de la pasión, pero orientada siempre a una unión cada vez más firme e intensa. Porque «no ha sido instituido solamente para la procreación» sino para que el amor mutuo «se manifieste, progrese y madure según un orden recto».[22] Esta amistad peculiar entre un hombre y una mujer adquiere un carácter totalizante que sólo se da en la unión conyugal. Precisamente por ser totalizante, esta unión también es exclusiva, fiel y abierta a la generación. Se comparte todo, aun la sexualidad, siempre con el respeto recíproco. El Concilio Vaticano II lo expresó diciendo que «un tal amor, asociando a la vez lo humano y lo divino, lleva a los esposos a un don libre y mutuo de sí mismos, comprobado por sentimientos y actos de ternura, e impregna toda su vida».[23]

Alegría y belleza

126. En el matrimonio conviene cuidar la alegría del amor. Cuando la búsqueda del placer es obsesiva, nos encierra en una sola cosa y nos incapacita para encontrar otro tipo de satisfacciones. La alegría, en cambio, amplía la capacidad de gozar y nos permite encontrar gusto en realidades

[22] Conc. Ecum. Vat. II, Const. past. *Gaudium et spes*, sobre la Iglesia en el mundo actual, 50.

[23] *Ibíd.*, 49.

variadas, aun en las etapas de la vida donde el placer se apaga. Por eso decía santo Tomás que se usa la palabra «alegría» para referirse a la dilatación de la amplitud del corazón.[24] La alegría matrimonial, que puede vivirse aun en medio del dolor, implica aceptar que el matrimonio es una necesaria combinación de gozos y de esfuerzos, de tensiones y de descanso, de sufrimientos y de liberaciones, de satisfacciones y de búsquedas, de molestias y de placeres, siempre en el camino de la amistad, que mueve a los esposos a cuidarse: «se prestan mutuamente ayuda y servicio».[25]

127. El amor de amistad se llama «caridad» cuando se capta y aprecia el «alto valor» que tiene el otro.[26] La belleza —el «alto valor» del otro, que no coincide con sus atractivos físicos o psicológicos— nos permite gustar lo sagrado de su persona, sin la imperiosa necesidad de poseerlo. En la sociedad de consumo el sentido estético se empobrece, y así se apaga la alegría. Todo está para ser comprado, poseído o consumido; también las personas. La ternura, en cambio, es una manifestación de este amor que se libera del deseo de la posesión egoísta. Nos lleva a vibrar ante una persona

---

[24] Cf. *Summa Theologiae* I-II, q. 31, a. 3, ad 3.

[25] Conc. Ecum. Vat. II, Const. past. *Gaudium et spes*, sobre la Iglesia en el mundo actual, 48.

[26] Cf. *Summa Theologiae* I-II, q. 26, a. 3.

con un inmenso respeto y con un cierto temor de hacerle daño o de quitarle su libertad. El amor al otro implica ese gusto de contemplar y valorar lo bello y sagrado de su ser personal, que existe más allá de mis necesidades. Esto me permite buscar su bien también cuando sé que no puede ser mío o cuando se ha vuelto físicamente desagradable, agresivo o molesto. Por eso, «del amor por el cual a uno le es grata otra persona depende que le dé algo gratis».[27]

128. La experiencia estética del amor se expresa en esa mirada que contempla al otro como un fin en sí mismo, aunque esté enfermo, viejo o privado de atractivos sensibles. La mirada que valora tiene una enorme importancia, y retacearla suele hacer daño. ¡Cuántas cosas hacen a veces los cónyuges y los hijos para ser mirados y tenidos en cuenta! Muchas heridas y crisis se originan cuando dejamos de contemplarnos. Eso es lo que expresan algunas quejas y reclamos que se escuchan en las familias: «Mi esposo no me mira, para él parece que soy invisible». «Por favor, mírame cuando te hablo». «Mi esposa ya no me mira, ahora sólo tiene ojos para sus hijos». «En mi casa yo no le importo a nadie, y ni siquiera me ven, como si no existiera». El amor abre los ojos y permite ver, más allá de todo, cuánto vale un ser humano.

---

[27] *Ibíd.*, q. 110, a. 1.

129. La alegría de ese amor contemplativo tiene que ser cultivada. Puesto que estamos hechos para amar, sabemos que no hay mayor alegría que un bien compartido: «Da y recibe, disfruta de ello» (*Si* 14, 16). Las alegrías más intensas de la vida brotan cuando se puede provocar la felicidad de los demás, en un anticipo del cielo. Cabe recordar la feliz escena del film *La fiesta de Babette*, donde la generosa cocinera recibe un abrazo agradecido y un elogio: «¡Cómo deleitarás a los ángeles!». Es dulce y reconfortante la alegría de provocar deleite en los demás, de verlos disfrutar. Ese gozo, efecto del amor fraterno, no es el de la vanidad de quien se mira a sí mismo, sino el del amante que se complace en el bien del ser amado, que se derrama en el otro y se vuelve fecundo en él.

130. Por otra parte, la alegría se renueva en el dolor. Como decía san Agustín: «Cuanto mayor fue el peligro en la batalla, tanto mayor es el gozo en el triunfo».[28] Después de haber sufrido y luchado juntos, los cónyuges pueden experimentar que valió la pena, porque consiguieron algo bueno, aprendieron algo juntos, o porque pueden valorar más lo que tienen. Pocas alegrías humanas son tan hondas y festivas como cuando dos personas que se aman han conquistado juntos algo que les costó un gran esfuerzo compartido.

[28] *Confesiones*, 8, 3, 7: *PL* 32, 752.

Casarse por amor

131. Quiero decir a los jóvenes que nada de todo esto se ve perjudicado cuando el amor asume el cauce de la institución matrimonial. La unión encuentra en esa institución el modo de encauzar su estabilidad y su crecimiento real y concreto. Es verdad que el amor es mucho más que un consentimiento externo o que una especie de contrato matrimonial, pero también es cierto que la decisión de dar al matrimonio una configuración visible en la sociedad, con unos determinados compromisos, manifiesta su relevancia: muestra la seriedad de la identificación con el otro, indica una superación del individualismo adolescente, y expresa la firme opción de pertenecerse el uno al otro. Casarse es un modo de expresar que realmente se ha abandonado el nido materno para tejer otros lazos fuertes y asumir una nueva responsabilidad ante otra persona. Esto vale mucho más que una mera asociación espontánea para la gratificación mutua, que sería una privatización del matrimonio. El matrimonio como institución social es protección y cauce para el compromiso mutuo, para la maduración del amor, para que la opción por el otro crezca en solidez, concretización y profundidad, y a su vez para que pueda cumplir su misión en la sociedad. Por eso, el matrimonio va más allá de toda moda pasajera y persiste. Su esencia está arraigada en la naturaleza misma de la persona humana y de

su carácter social. Implica una serie de obligaciones, pero que brotan del mismo amor, de un amor tan decidido y generoso que es capaz de arriesgar el futuro.

132. Optar por el matrimonio de esta manera, expresa la decisión real y efectiva de convertir dos caminos en un único camino, pase lo que pase y a pesar de cualquier desafío. Por la seriedad que tiene este compromiso público de amor, no puede ser una decisión apresurada, pero por esa misma razón tampoco se la puede postergar indefinidamente. Comprometerse con otro de un modo exclusivo y definitivo siempre tiene una cuota de riesgo y de osada apuesta. El rechazo de asumir este compromiso es egoísta, interesado, mezquino, no acaba de reconocer los derechos del otro y no termina de presentarlo a la sociedad como digno de ser amado incondicionalmente. Por otro lado, quienes están verdaderamente enamorados tienden a manifestar a los otros su amor. El amor concretizado en un matrimonio contraído ante los demás, con todos los compromisos que se derivan de esta institucionalización, es manifestación y resguardo de un «sí» que se da sin reservas y sin restricciones. Ese sí es decirle al otro que siempre podrá confiar, que no será abandonado cuando pierda atractivo, cuando haya dificultades

o cuando se ofrezcan nuevas opciones de placer o de intereses egoístas.

Amor que se manifiesta y crece

133. El amor de amistad unifica todos los aspectos de la vida matrimonial, y ayuda a los miembros de la familia a seguir adelante en todas las etapas. Por eso, los gestos que expresan ese amor deben ser constantemente cultivados, sin mezquindad, llenos de palabras generosas. En la familia «es necesario usar tres palabras. Quisiera repetirlo. Tres palabras: permiso, gracias, perdón. ¡Tres palabras clave!».[29] «Cuando en una familia no se es entrometido y se pide "permiso", cuando en una familia no se es egoísta y se aprende a decir "gracias", y cuando en una familia uno se da cuenta que hizo algo malo y sabe pedir "perdón", en esa familia hay paz y hay alegría».[30] No seamos mezquinos en el uso de estas palabras, seamos generosos para repetirlas día a día, porque «algunos silencios pesan, a veces incluso en la familia, entre marido y mujer, entre padres e hijos, entre hermanos».[31] En cambio, las palabras adecuadas, di-

---

[29] *Discurso a las Familias del mundo con ocasión de su peregrinación a Roma en el Año de la Fe* (26 octubre 2013): *AAS* (2013), 980.

[30] *Ángelus* (29 diciembre 2013): *L'Osservatore Romano*, ed. semanal en lengua española, 3 de enero de 2014, p. 2.

[31] *Discurso a las Familias del mundo con ocasión de su peregrinación a Roma en el Año de la Fe* (26 octubre 2013): *AAS* (2013), 978.

chas en el momento justo, protegen y alimentan el amor día tras día.

134. Todo esto se realiza en un camino de permanente crecimiento. Esta forma tan particular de amor que es el matrimonio, está llamada a una constante maduración, porque hay que aplicarle siempre aquello que santo Tomás de Aquino decía de la caridad: «La caridad, en razón de su naturaleza, no tiene límite de aumento, ya que es una participación de la infinita caridad, que es el Espíritu Santo [...] Tampoco por parte del sujeto se le puede prefijar un límite, porque al crecer la caridad, sobrecrece también la capacidad para un aumento superior».[32] San Pablo exhortaba con fuerza: «Que el Señor los haga progresar y sobreabundar en el amor de unos con otros» (*1Ts* 3, 12); y añade: «En cuanto al amor mutuo [...] los exhortamos, hermanos, a que sigan progresando más y más» (*1Ts* 4, 9-10). Más y más. El amor matrimonial no se cuida ante todo hablando de la indisolubilidad como una obligación, o repitiendo una doctrina, sino afianzándolo gracias a un crecimiento constante bajo el impulso de la gracia. El amor que no crece comienza a correr riesgos, y sólo podemos crecer respondiendo a la gracia divina con más actos de amor, con actos de cariño más frecuentes, más intensos, más generosos, más

[32] *Summa Theologiae* II-II, q. 24, a. 7.

tiernos, más alegres. El marido y la mujer «experimentando el sentido de su unidad y lográndola más plenamente cada día».[33] El don del amor divino que se derrama en los esposos es al mismo tiempo un llamado a un constante desarrollo de ese regalo de la gracia.

135. No hacen bien algunas fantasías sobre un amor idílico y perfecto, privado así de todo estímulo para crecer. Una idea celestial del amor terreno olvida que lo mejor es lo que todavía no ha sido alcanzado, el vino madurado con el tiempo. Como recordaron los Obispos de Chile, «no existen las familias perfectas que nos propone la propaganda falaz y consumista. En ellas no pasan los años, no existe la enfermedad, el dolor ni la muerte [...] La propaganda consumista muestra una fantasía que nada tiene que ver con la realidad que deben afrontar, en el día a día, los jefes y jefas de hogar».[34] Es más sano aceptar con realismo los límites, los desafíos o la imperfección, y escuchar el llamado a crecer juntos, a madurar el amor y a cultivar la solidez de la unión, pase lo que pase.

---

[33] Conc. Ecum. Vat. II, Const. past. *Gaudium et spes*, sobre la Iglesia en el mundo actual, 48.

[34] Conferencia Episcopal de Chile, *La vida y la familia: regalos de Dios para cada uno de nosotros* (21 octubre 2014).

Diálogo

136. El diálogo es una forma privilegiada e indispensable de vivir, expresar y madurar el amor en la vida matrimonial y familiar. Pero supone un largo y esforzado aprendizaje. Varones y mujeres, adultos y jóvenes, tienen maneras distintas de comunicarse, usan un lenguaje diferente, se mueven con otros códigos. El modo de preguntar, la forma de responder, el tono utilizado, el momento y muchos factores más, pueden condicionar la comunicación. Además, siempre es necesario desarrollar algunas actitudes que son expresión de amor y hacen posible el diálogo auténtico.

137. Darse tiempo, tiempo de calidad, que consiste en escuchar con paciencia y atención, hasta que el otro haya expresado todo lo que necesitaba. Esto requiere la ascesis de no empezar a hablar antes del momento adecuado. En lugar de comenzar a dar opiniones o consejos, hay que asegurarse de haber escuchado todo lo que el otro necesita decir. Esto implica hacer un silencio interior para escuchar sin ruidos en el corazón o en la mente: despojarse de toda prisa, dejar a un lado las propias necesidades y urgencias, hacer espacio. Muchas veces uno de los cónyuges no necesita una solución a sus problemas, sino ser escuchado. Tiene que sentir que se ha percibido su pena, su desilusión, su miedo, su ira, su esperanza, su

sueño. Pero son frecuentes lamentos como estos: «No me escucha. Cuando parece que lo está haciendo, en realidad está pensando en otra cosa». «Hablo y siento que está esperando que termine de una vez». «Cuando hablo intenta cambiar de tema, o me da respuestas rápidas para cerrar la conversación».

138. Desarrollar el hábito de dar importancia real al otro. Se trata de valorar su persona, de reconocer que tiene derecho a existir, a pensar de manera autónoma y a ser feliz. Nunca hay que restarle importancia a lo que diga o reclame, aunque sea necesario expresar el propio punto de vista. Subyace aquí la convicción de que todos tienen algo que aportar, porque tienen otra experiencia de la vida, porque miran desde otro punto de vista, porque han desarrollado otras preocupaciones y tienen otras habilidades e intuiciones. Es posible reconocer la verdad del otro, el valor de sus preocupaciones más hondas y el trasfondo de lo que dice, incluso detrás de palabras agresivas. Para ello hay que tratar de ponerse en su lugar e interpretar el fondo de su corazón, detectar lo que le apasiona, y tomar esa pasión como punto de partida para profundizar en el diálogo.

139. Amplitud mental, para no encerrarse con obsesión en unas pocas ideas, y flexibilidad para poder modificar o completar las propias

opiniones. Es posible que, de mi pensamiento y del pensamiento del otro pueda surgir una nueva síntesis que nos enriquezca a los dos. La unidad a la que hay que aspirar no es uniformidad, sino una «unidad en la diversidad», o una «diversidad reconciliada». En ese estilo enriquecedor de comunión fraterna, los diferentes se encuentran, se respetan y se valoran, pero manteniendo diversos matices y acentos que enriquecen el bien común. Hace falta liberarse de la obligación de ser iguales. También se necesita astucia para advertir a tiempo las «interferencias» que puedan aparecer, de manera que no destruyan un proceso de diálogo. Por ejemplo, reconocer los malos sentimientos que vayan surgiendo y relativizarlos para que no perjudiquen la comunicación. Es importante la capacidad de expresar lo que uno siente sin lastimar; utilizar un lenguaje y un modo de hablar que pueda ser más fácilmente aceptado o tolerado por el otro, aunque el contenido sea exigente; plantear los propios reclamos pero sin descargar la ira como forma de venganza, y evitar un lenguaje moralizante que sólo busque agredir, ironizar, culpar, herir. Muchas discusiones en la pareja no son por cuestiones muy graves. A veces se trata de cosas pequeñas, poco trascendentes, pero lo que altera los ánimos es el modo de decirlas o la actitud que se asume en el diálogo.

140. Tener gestos de preocupación por el otro y demostraciones de afecto. El amor supera las peores barreras. Cuando se puede amar a alguien, o cuando nos sentimos amados por él, logramos entender mejor lo que quiere expresar y hacernos entender. Superar la fragilidad que nos lleva a tenerle miedo al otro, como si fuera un «competidor». Es muy importante fundar la propia seguridad en opciones profundas, convicciones o valores, y no en ganar una discusión o en que nos den la razón.

141. Finalmente, reconozcamos que para que el diálogo valga la pena hay que tener algo que decir, y eso requiere una riqueza interior que se alimenta en la lectura, la reflexión personal, la oración y la apertura a la sociedad. De otro modo, las conversaciones se vuelven aburridas e inconsistentes. Cuando ninguno de los cónyuges se cultiva y no existe una variedad de relaciones con otras personas, la vida familiar se vuelve endogámica y el diálogo se empobrece.

Amor apasionado

142. El Concilio Vaticano II enseña que este amor conyugal «abarca el bien de toda la persona, y, por tanto, puede enriquecer con una dignidad peculiar las expresiones del cuerpo y del espíritu, y

ennoblecerlas como signos especiales de la amistad conyugal».[35] Por algo será que un amor sin placer ni pasión no es suficiente para simbolizar la unión del corazón humano con Dios: «Todos los místicos han afirmado que el amor sobrenatural y el amor celeste encuentran los símbolos que buscan en el amor matrimonial, más que en la amistad, más que en el sentimiento filial o en la dedicación a una causa. Y el motivo está justamente en su totalidad».[36] ¿Por qué entonces no detenernos a hablar de los sentimientos y de la sexualidad en el matrimonio?

El mundo de las emociones

143. Deseos, sentimientos, emociones, eso que los clásicos llamaban «pasiones», tienen un lugar importante en el matrimonio. Se producen cuando «otro» se hace presente y se manifiesta en la propia vida. Es propio de todo ser viviente tender hacia otra cosa, y esta tendencia tiene siempre señales afectivas básicas: el placer o el dolor, la alegría o la pena, la ternura o el temor. Son el presupuesto de la actividad psicológica más elemental. El ser humano es un viviente de esta tierra, y todo lo que hace y busca está cargado de pasiones.

---

[35] Const. past. *Gaudium et spes*, sobre la Iglesia en el mundo actual, 49.

[36] A. Sertillanges, *L'amour chrétien*, París 1920, 174.

144. Jesús, como verdadero hombre, vivía las cosas con una carga de emotividad. Por eso le dolía el rechazo de Jerusalén (cf. *Mt* 23, 37), y esta situación le arrancaba lágrimas (cf. *Lc* 19, 41). También se compadecía ante el sufrimiento de la gente (cf. *Mc* 6, 34). Viendo llorar a los demás, se conmovía y se turbaba (cf. *Jn* 11, 33), y Él mismo lloraba la muerte de un amigo (cf. *Jn* 11, 35). Estas manifestaciones de su sensibilidad mostraban hasta qué punto su corazón humano estaba abierto a los demás.

145. Experimentar una emoción no es algo moralmente bueno ni malo en sí mismo.[37] Comenzar a sentir deseo o rechazo no es pecaminoso ni reprochable. Lo que es bueno o malo es el acto que uno realice movido o acompañado por una pasión. Pero si los sentimientos son promovidos, buscados y, a causa de ellos, cometemos malas acciones, el mal está en la decisión de alimentarlos y en los actos malos que se sigan. En la misma línea, sentir gusto por alguien no significa de por sí que sea un bien. Si con ese gusto yo busco que esa persona se convierta en mi esclava, el sentimiento estará al servicio de mi egoísmo. Creer que somos buenos sólo porque «sentimos cosas» es un tremendo engaño. Hay personas que se sienten capaces de un gran amor sólo porque tienen una gran necesidad

[37] Cf. Tomás de Aquino, *Summa Theologiae* I-II, q. 24, a. 1.

de afecto, pero no saben luchar por la felicidad de los demás y viven encerrados en sus propios deseos. En ese caso, los sentimientos distraen de los grandes valores y ocultan un egocentrismo que no hace posible cultivar una vida sana y feliz en familia.

146. Por otra parte, si una pasión acompaña al acto libre, puede manifestar la profundidad de esa opción. El amor matrimonial lleva a procurar que toda la vida emotiva se convierta en un bien para la familia y esté al servicio de la vida en común. La madurez llega a una familia cuando la vida emotiva de sus miembros se transforma en una sensibilidad que no domina ni oscurece las grandes opciones y los valores sino que sigue a su libertad,[38] brota de ella, la enriquece, la embellece y la hace más armoniosa para bien de todos.

Dios ama el gozo de sus hijos

147. Esto requiere un camino pedagógico, un proceso que incluye renuncias. Es una convicción de la Iglesia que muchas veces ha sido rechazada, como si fuera enemiga de la felicidad humana. Benedicto XVI recogía este cuestionamiento con gran claridad: «La Iglesia, con sus preceptos y prohibiciones, ¿no convierte acaso en amargo lo

[38] Cf. *ibíd.*, q. 59, a. 5.

más hermoso de la vida? ¿No pone quizá carteles de prohibición precisamente allí donde la alegría, predispuesta en nosotros por el Creador, nos ofrece una felicidad que nos hace pregustar algo de lo divino?».[39] Pero él respondía que, si bien no han faltado exageraciones o ascetismos desviados en el cristianismo, la enseñanza oficial de la Iglesia, fiel a las Escrituras, no rechazó «el *eros* como tal, sino que declaró guerra a su desviación destructora, puesto que la falsa divinización del *eros* [...] lo priva de su dignidad divina y lo deshumaniza».[40]

148. La educación de la emotividad y del instinto es necesaria, y para ello a veces es indispensable ponerse algún límite. El exceso, el descontrol, la obsesión por un solo tipo de placeres, terminan por debilitar y enfermar al placer mismo,[41] y dañan la vida de la familia. De verdad se puede hacer un hermoso camino con las pasiones, lo cual significa orientarlas cada vez más en un proyecto de autodonación y de plena realización de sí mismo, que enriquece las relaciones interpersonales en el seno familiar. No implica renunciar a instantes de

[39] Carta enc. *Deus caritas est* (25 diciembre 2005), 3: AAS 98 (2006), 219-220.

[40] *Ibíd.*, 4: AAS 98 (2006), 220.

[41] Cf. Tomás de Aquino, *Summa Theologiae* I-II, q. 32, a. 7.

intenso gozo,[42] sino asumirlos como entretejidos con otros momentos de entrega generosa, de espera paciente, de cansancio inevitable, de esfuerzo por un ideal. La vida en familia es todo eso y merece ser vivida entera.

149. Algunas corrientes espirituales insisten en eliminar el deseo para liberarse del dolor. Pero nosotros creemos que Dios ama el gozo del ser humano, que Él creó todo «para que lo disfrutemos» (*1Tm* 6, 17). Dejemos brotar la alegría ante su ternura cuando nos propone: «Hijo, trátate bien [...] No te prives de pasar un día feliz» (*Si* 14, 11.14). Un matrimonio también responde a la voluntad de Dios siguiendo esta invitación bíblica: «Alégrate en el día feliz» (*Qo* 7, 14). La cuestión es tener la libertad para aceptar que el placer encuentre otras formas de expresión en los distintos momentos de la vida, de acuerdo con las necesidades del amor mutuo. En ese sentido, se puede acoger la propuesta de algunos maestros orientales que insisten en ampliar la consciencia, para no quedar presos en una experiencia muy limitada que nos cierre las perspectivas. Esa ampliación de la consciencia no es la negación o destrucción del deseo sino su dilatación y su perfeccionamiento.

---

[42] Cf. *ibíd.*, II-II, q. 153, a. 2, ad 2: «*Abundantia delectationis quae est in actu venereo secundum rationem ordinato, non contrariatur medio virtutis*».

150. Todo esto nos lleva a hablar de la vida sexual del matrimonio. Dios mismo creó la sexualidad, que es un regalo maravilloso para sus creaturas. Cuando se la cultiva y se evita su descontrol, es para impedir que se produzca el «empobrecimiento de un valor auténtico».[43] San Juan Pablo II rechazó que la enseñanza de la Iglesia lleve a «una negación del valor del sexo humano», o que simplemente lo tolere «por la necesidad misma de la procreación».[44] La necesidad sexual de los esposos no es objeto de menosprecio, y «no se trata en modo alguno de poner en cuestión esa necesidad».[45]

151. A quienes temen que en la educación de las pasiones y de la sexualidad se perjudique la espontaneidad del amor sexuado, san Juan Pablo II les respondía que el ser humano «está llamado a la plena y madura espontaneidad de las relaciones», que «es el fruto gradual del discernimiento de los impulsos del propio corazón».[46] Es algo

---

[43] Juan Pablo II, *Catequesis* (22 octubre 1980), 5: *L'Osservatore Romano,* ed. semanal en lengua española, 26 de octubre de 1980, p. 3.

[44] *Ibíd.*, 3.

[45] Id., *Catequesis* (24 septiembre 1980), 4: *L'Osservatore Romano,* ed. semanal en lengua española, 28 de septiembre de 1980, p. 3.

[46] *Catequesis* (12 noviembre 1980), 2: *L'Osservatore Romano,* ed. semanal en lengua española, 16 de noviembre de 1980, p. 3.

que se conquista, ya que todo ser humano «debe aprender con perseverancia y coherencia lo que es el significado del cuerpo».[47] La sexualidad no es un recurso para gratificar o entretener, ya que es un lenguaje interpersonal donde el otro es tomado en serio, con su sagrado e inviolable valor. Así, «el corazón humano se hace partícipe, por decirlo así, de otra espontaneidad».[48] En este contexto, el erotismo aparece como manifestación específicamente humana de la sexualidad. En él se puede encontrar «el significado esponsalicio del cuerpo y la auténtica dignidad del don».[49] En sus catequesis sobre la teología del cuerpo humano, enseñó que la corporeidad sexuada «es no sólo fuente de fecundidad y procreación», sino que posee «la capacidad de expresar el amor: ese amor precisamente en el que el hombre-persona se convierte en don».[50] El más sano erotismo, si bien está unido a una búsqueda de placer, supone la admiración, y por eso puede humanizar los impulsos.

152. Entonces, de ninguna manera podemos entender la dimensión erótica del amor como un mal permitido o como un peso a tolerar por

---

[47] *Ibíd.*, 4.

[48] *Ibíd.*, 5.

[49] *Ibíd.*, 1: *L'Osservatore Romano*, ed. semanal en lengua española, 16 de noviembre de 1980, p. 3.

[50] Id., *Catequesis* (16 enero 1980), 1: *L'Osservatore Romano*, ed. semanal en lengua española, 20 de enero de 1980, p. 3.

el bien de la familia, sino como don de Dios que embellece el encuentro de los esposos. Siendo una pasión sublimada por un amor que admira la dignidad del otro, llega a ser una «plena y limpísima afirmación amorosa», que nos muestra de qué maravillas es capaz el corazón humano y así, por un momento, «se siente que la existencia humana ha sido un éxito».[51]

Violencia y manipulación

153. Dentro del contexto de esta visión positiva de la sexualidad, es oportuno plantear el tema en su integridad y con un sano realismo. Porque no podemos ignorar que muchas veces la sexualidad se despersonaliza y también se llena de patologías, de tal modo que «pasa a ser cada vez más ocasión e instrumento de afirmación del propio yo y de satisfacción egoísta de los propios deseos e instintos».[52] En esta época se vuelve muy riesgoso que la sexualidad también sea poseída por el espíritu venenoso del «usa y tira». El cuerpo del otro es con frecuencia manipulado, como una cosa que se retiene mientras brinda satisfacción y se desprecia cuando pierde atractivo. ¿Acaso se pueden ignorar o disimular las constantes formas de dominio,

---

[51] JOSEF PIEPER, *Über die Liebe*, Múnich 2014, 174-175.

[52] JUAN PABLO II, Carta enc. *Evangelium vitae* (25 marzo 1995), 23: *AAS* 87 (1995), 427.

prepotencia, abuso, perversión y violencia sexual, que son producto de una desviación del significado de la sexualidad y que sepultan la dignidad de los demás y el llamado al amor debajo de una oscura búsqueda de sí mismo?

154. No está de más recordar que, aun dentro del matrimonio, la sexualidad puede convertirse en fuente de sufrimiento y de manipulación. Por eso tenemos que reafirmar con claridad que «un acto conyugal impuesto al cónyuge sin considerar su situación actual y sus legítimos deseos, no es un verdadero acto de amor; y prescinde por tanto de una exigencia del recto orden moral en las relaciones entre los esposos».[53] Los actos propios de la unión sexual de los cónyuges responden a la naturaleza de la sexualidad querida por Dios si son vividos «de modo verdaderamente humano».[54] Por eso, san Pablo exhortaba: «Que nadie falte a su hermano ni se aproveche de él» (*1Ts* 4, 6). Si bien él escribía en una época en que dominaba una cultura patriarcal, donde la mujer se consideraba un ser completamente subordinado al varón, sin embargo enseñó que la sexualidad debe ser una cuestión de conversación entre los

---

[53] Pablo VI, Carta enc. *Humanae vitae* (25 julio 1968), 13: *AAS* 60 (1968), 489.

[54] Conc. Ecum. Vat. II, Const. past. *Gaudium et spes*, sobre la Iglesia en el mundo actual, 49.

cónyuges: planteó la posibilidad de postergar las relaciones sexuales por un tiempo, pero «de común acuerdo» (*1Co* 7, 5).

155. San Juan Pablo II hizo una advertencia muy sutil cuando dijo que el hombre y la mujer están «amenazados por la insaciabilidad».[55] Es decir, están llamados a una unión cada vez más intensa, pero el riesgo está en pretender borrar las diferencias y esa distancia inevitable que hay entre los dos. Porque cada uno posee una dignidad propia e intransferible. Cuando la preciosa pertenencia recíproca se convierte en un dominio, «cambia esencialmente la estructura de comunión en la relación interpersonal».[56] En la lógica del dominio, el dominador también termina negando su propia dignidad,[57] y en definitiva deja «de identificarse subjetivamente con el propio cuerpo»,[58] ya que le quita todo significado. Vive el sexo como evasión de sí mismo y como renuncia a la belleza de la unión.

---

[55] *Catequesis* (18 junio 1980), 5: *L'Osservatore Romano,* ed. semanal en lengua española, 22 de junio de 1980, p. 3.

[56] *Ibíd.*, 6.

[57] Cf. *Catequesis* (30 julio 1980), 1: *L'Osservatore Romano,* ed. semanal en lengua española, 3 de agosto de 1980, p. 3.

[58] *Catequesis* (8 abril 1981), 3: *L'Osservatore Romano,* ed. semanal en lengua española, 12 de abril de 1981, p. 3.

156. Es importante ser claros en el rechazo de toda forma de sometimiento sexual. Por ello conviene evitar toda interpretación inadecuada del texto de la *Carta a los Efesios* donde se pide que «las mujeres estén sujetas a sus maridos» (*Ef* 5, 22). San Pablo se expresa aquí en categorías culturales propias de aquella época, pero nosotros no debemos asumir ese ropaje cultural, sino el mensaje revelado que subyace en el conjunto de la perícopa. Retomemos la sabia explicación de san Juan Pablo II: «El amor excluye todo género de sumisión, en virtud de la cual la mujer se convertiría en sierva o esclava del marido [...] La comunidad o unidad que deben formar por el matrimonio se realiza a través de una recíproca donación, que es también una mutua sumisión».[59] Por eso se dice también que «los maridos deben amar a sus mujeres como a sus propios cuerpos» (*Ef* 5, 28). En realidad el texto bíblico invita a superar el cómodo individualismo para vivir referidos a los demás, «sujetos los unos a los otros» (*Ef* 5, 21). En el matrimonio, esta recíproca «sumisión» adquiere un significado especial, y se entiende como una pertenencia mutua libremente elegida, con un conjunto de notas de fidelidad, respeto y cuidado. La sexualidad está de modo inseparable al servicio

[59] *Catequesis* (11 agosto 1982), 4: *L'Osservatore Romano*, ed. semanal en lengua española, 15 de agosto de 1982, p. 3.

de esa amistad conyugal, porque se orienta a procurar que el otro viva en plenitud.

157. Sin embargo, el rechazo de las desviaciones de la sexualidad y del erotismo nunca debería llevarnos a su desprecio ni a su descuido. El ideal del matrimonio no puede configurarse sólo como una donación generosa y sacrificada, donde cada uno renuncia a toda necesidad personal y sólo se preocupa por hacer el bien al otro sin satisfacción alguna. Recordemos que un verdadero amor sabe también recibir del otro, es capaz de aceptarse vulnerable y necesitado, no renuncia a acoger con sincera y feliz gratitud las expresiones corpóreas del amor en la caricia, el abrazo, el beso y la unión sexual. Benedicto XVI era claro al respecto: «Si el hombre pretendiera ser sólo espíritu y quisiera rechazar la carne como si fuera una herencia meramente animal, espíritu y cuerpo perderían su dignidad».[60] Por esta razón, «el hombre tampoco puede vivir exclusivamente del amor oblativo, descendente. No puede dar únicamente y siempre, también debe recibir. Quien quiere dar amor, debe a su vez recibirlo como don».[61] Esto supone, de todos modos, recordar que el equilibrio humano es frágil, que siempre permanece algo que

[60] Carta enc. *Deus caritas est* (25 diciembre 2005), 5: *AAS* 98 (2006), 221.

[61] *Ibíd.*, 7: *AAS* 98 (2006), 224.

se resiste a ser humanizado y que en cualquier momento puede desbocarse de nuevo, recuperando sus tendencias más primitivas y egoístas.

Matrimonio y virginidad

158. «Muchas personas que viven sin casarse, no sólo se dedican a su familia de origen, sino que a menudo cumplen grandes servicios en su círculo de amigos, en la comunidad eclesial y en la vida profesional [...] Muchos, asimismo, ponen sus talentos al servicio de la comunidad cristiana bajo la forma de la caridad y el voluntariado. Luego están los que no se casan porque consagran su vida por amor a Cristo y a los hermanos. Su dedicación enriquece extraordinariamente a la familia, en la Iglesia y en la sociedad».[62]

159. La virginidad es una forma de amar. Como signo, nos recuerda la premura del Reino, la urgencia de entregarse al servicio evangelizador sin reservas (cf. *1Co* 7, 32), y es un reflejo de la plenitud del cielo donde «ni los hombres se casarán ni las mujer tomarán esposo» (*Mt* 22, 30). San Pablo la recomendaba porque esperaba un pronto regreso de Jesucristo, y quería que todos se concentraran sólo en la evangelización: «El momento es apremiante» (*1Co* 7, 29). Sin embargo, dejaba

[62] *Relación final* 2015, 22.

claro que era una opinión personal o un deseo suyo (cf. *1Co* 7, 6-8) y no un pedido de Cristo: «No tengo precepto del Señor» (*1Co* 7, 25). Al mismo tiempo, reconocía el valor de los diferentes llamados: «Cada cual tiene su propio don de Dios, unos de un modo y otros de otro» (*1Co* 7, 7). En este sentido, san Juan Pablo II dijo que los textos bíblicos «no dan fundamento ni para sostener la "inferioridad" del matrimonio, ni la "superioridad" de la virginidad o del celibato»[63] en razón de la abstención sexual. Más que hablar de la superioridad de la virginidad en todo sentido, parece adecuado mostrar que los distintos estados de vida se complementan, de tal manera que uno puede ser más perfecto en algún sentido y otro puede serlo desde otro punto de vista. Alejandro de Hales, por ejemplo, expresaba que, en un sentido, el matrimonio puede considerarse superior a los demás sacramentos, porque simboliza algo tan grande como «la unión de Cristo con la Iglesia o la unión de la naturaleza divina con la humana».[64]

160. Por lo tanto, «no se trata de disminuir el valor del matrimonio en beneficio de la

---

[63] *Catequesis* (14 abril 1982), 1: *L'Osservatore Romano*, ed. semanal en lengua española, 18 de abril de 1982, p. 3.

[64] *Glossa in quatuor libros sententiarum Petri Lombardi*, 4, 26, 2 (Quaracchi 1957, 446).

continencia»,[65] y «no hay base alguna para una supuesta contraposición [...] Si, de acuerdo con una cierta tradición teológica, se habla del estado de perfección (*status perfectionis*), se hace no a causa de la continencia misma, sino con relación al conjunto de la vida fundada sobre los consejos evangélicos».[66] Pero una persona casada puede vivir la caridad en un altísimo grado. Entonces, «llega a esa perfección que brota de la caridad, mediante la fidelidad al espíritu de esos consejos. Esta perfección es posible y accesible a cada uno de los hombres».[67]

161. La virginidad tiene el valor simbólico del amor que no necesita poseer al otro, y refleja así la libertad del Reino de los Cielos. Es una invitación a los esposos para que vivan su amor conyugal en la perspectiva del amor definitivo a Cristo, como un camino común hacia la plenitud del Reino. A su vez, el amor de los esposos tiene otros valores simbólicos: por una parte, es un peculiar reflejo de la Trinidad. La Trinidad es unidad plena, pero en la cual existe también la distinción. Además, la familia es un signo cristológico, porque manifiesta

[65] JUAN PABLO II, *Catequesis* (7 abril 1982), 2: *L'Osservatore Romano*, ed. semanal en lengua española, 11 de abril de 1982, p. 3.

[66] ID., *Catequesis* (14 abril 1982), 3: *L'Osservatore Romano*, ed. semanal en lengua española, 18 de abril de 1982, p. 3.

[67] *Ibíd.*

la cercanía de Dios que comparte la vida del ser humano uniéndose a él en la Encarnación, en la Cruz y en la Resurrección: cada cónyuge se hace «una sola carne» con el otro y se ofrece a sí mismo para compartirlo todo con él hasta el fin. Mientras la virginidad es un signo «escatológico» de Cristo resucitado, el matrimonio es un signo «histórico» para los que caminamos en la tierra, un signo del Cristo terreno que aceptó unirse a nosotros y se entregó hasta darnos su sangre. La virginidad y el matrimonio son, y deben ser, formas diferentes de amar, porque «el hombre no puede vivir sin amor. Él permanece para sí mismo un ser incomprensible, su vida está privada de sentido si no se le revela el amor».[68]

162. El celibato corre el peligro de ser una cómoda soledad, que da libertad para moverse con autonomía, para cambiar de lugares, de tareas y de opciones, para disponer del propio dinero, para frecuentar personas diversas según la atracción del momento. En ese caso, resplandece el testimonio de las personas casadas. Quienes han sido llamados a la virginidad pueden encontrar en algunos matrimonios un signo claro de la generosa e inquebrantable fidelidad de Dios a su Alianza, que estimule sus corazones a una disponibilidad

---

[68] Id., Carta enc. *Redemptor hominis* (4 marzo 1979), 10: *AAS* 71 (1979), 274.

más concreta y oblativa. Porque hay personas casadas que mantienen su fidelidad cuando su cónyuge se ha vuelto físicamente desagradable, o cuando no satisface las propias necesidades, a pesar de que muchas ofertas inviten a la infidelidad o al abandono. Una mujer puede cuidar a su esposo enfermo y allí, junto a la Cruz, vuelve a dar el «sí» de su amor hasta la muerte. En ese amor se manifiesta de un modo deslumbrante la dignidad del amante, dignidad como reflejo de la caridad, puesto que es propio de la caridad amar, más que ser amado.[69] También podemos advertir en muchas familias una capacidad de servicio oblativo y tierno ante hijos difíciles e incluso desagradecidos. Esto hace de esos padres un signo del amor libre y desinteresado de Jesús. Todo esto se convierte en una invitación a las personas célibes para que vivan su entrega por el Reino con mayor generosidad y disponibilidad. Hoy, la secularización ha desdibujado el valor de una unión para toda la vida y ha debilitado la riqueza de la entrega matrimonial, por lo cual «es preciso profundizar en los aspectos positivos del amor conyugal».[70]

---

[69] Cf. Tomás de Aquino, *Summa Theologiae* II-II, q. 27, a. 1.

[70] Pontificio Consejo para la Familia, *Familia, matrimonio y uniones de hecho* (26 julio 2000), 40.

163. La prolongación de la vida hace que se produzca algo que no era común en otros tiempos: la relación íntima y la pertenencia mutua deben conservarse por cuatro, cinco o seis décadas, y esto se convierte en una necesidad de volver a elegirse una y otra vez. Quizá el cónyuge ya no está apasionado por un deseo sexual intenso que le mueva hacia la otra persona, pero siente el placer de pertenecerle y que le pertenezca, de saber que no está solo, de tener un «cómplice», que conoce todo de su vida y de su historia y que comparte todo. Es el compañero en el camino de la vida con quien se pueden enfrentar las dificultades y disfrutar las cosas lindas. Eso también produce una satisfacción que acompaña al querer propio del amor conyugal. No podemos prometernos tener los mismos sentimientos durante toda la vida. En cambio, sí podemos tener un proyecto común estable, comprometernos a amarnos y a vivir unidos hasta que la muerte nos separe, y vivir siempre una rica intimidad. El amor que nos prometemos supera toda emoción, sentimiento o estado de ánimo, aunque pueda incluirlos. Es un querer más hondo, con una decisión del corazón que involucra toda la existencia. Así, en medio de un conflicto no resuelto, y aunque muchos sentimientos confusos den vueltas por el corazón, se mantiene viva cada

día la decisión de amar, de pertenecerse, de compartir la vida entera y de permanecer amando y perdonando. Cada uno de los dos hace un camino de crecimiento y de cambio personal. En medio de ese camino, el amor celebra cada paso y cada nueva etapa.

164. En la historia de un matrimonio, la apariencia física cambia, pero esto no es razón para que la atracción amorosa se debilite. Alguien se enamora de una persona entera con una identidad propia, no sólo de un cuerpo, aunque ese cuerpo, más allá del desgaste del tiempo, nunca deje de expresar de algún modo esa identidad personal que ha cautivado el corazón. Cuando los demás ya no puedan reconocer la belleza de esa identidad, el cónyuge enamorado sigue siendo capaz de percibirla con el instinto del amor, y el cariño no desaparece. Reafirma su decisión de pertenecerle, la vuelve a elegir, y expresa esa elección en una cercanía fiel y cargada de ternura. La nobleza de su opción por ella, por ser intensa y profunda, despierta una forma nueva de emoción en el cumplimiento de esa misión conyugal. Porque «la emoción provocada por otro ser humano como persona [...] no tiende de por sí al acto conyugal».[71] Adquiere otras expresiones sensibles, porque el amor «es

---

[71] Juan Pablo II, *Catequesis* (31 octubre 1984), 6: *L'Osservatore Romano*, ed. semanal en lengua española, 4 de noviembre de 1984, p. 3.

una única realidad, si bien con diversas dimensiones; según los casos, una u otra puede destacar más».[72] El vínculo encuentra nuevas modalidades y exige la decisión de volver a amasarlo una y otra vez. Pero no sólo para conservarlo, sino para desarrollarlo. Es el camino de construirse día a día. Pero nada de esto es posible si no se invoca al Espíritu Santo, si no se clama cada día pidiendo su gracia, si no se busca su fuerza sobrenatural, si no se le reclama con deseo que derrame su fuego sobre nuestro amor para fortalecerlo, orientarlo y transformarlo en cada nueva situación.

---

[72] Benedicto XVI, Carta enc. *Deus caritas est* (25 diciembre 2005), 8: *AAS* 98 (2006), 224.

CAPÍTULO QUINTO

AMOR QUE SE VUELVE FECUNDO

165. El amor siempre da vida. Por eso, el amor conyugal «no se agota dentro de la pareja [...] Los cónyuges, a la vez que se dan entre sí, dan más allá de sí mismos la realidad del hijo, reflejo viviente de su amor, signo permanente de la unidad conyugal y síntesis viva e inseparable del padre y de la madre».[1]

Acoger una nueva vida

166. La familia es el ámbito no sólo de la generación sino de la acogida de la vida que llega como regalo de Dios. Cada nueva vida «nos permite descubrir la dimensión más gratuita del amor, que jamás deja de sorprendernos. Es la belleza de ser amados antes: los hijos son amados antes de que lleguen».[2] Esto nos refleja el primado del amor de Dios que siempre toma la iniciativa, porque los hijos «son amados antes de haber hecho algo

---

[1] Juan Pablo II, Exhort. ap. *Familiaris consortio* (22 noviembre 1981), 14: *AAS* 74 (1982), 96.

[2] *Catequesis* (11 febrero 2015): *L'Osservatore Romano*, ed. semanal en lengua española, 13 de febrero de 2015, p. 12.

para merecerlo».[3] Sin embargo, «numerosos niños desde el inicio son rechazados, abandonados, les roban su infancia y su futuro. Alguno se atreve a decir, casi para justificarse, que fue un error hacer que vinieran al mundo. ¡Esto es vergonzoso! [...] ¿Qué hacemos con las solemnes declaraciones de los derechos humanos o de los derechos del niño, si luego castigamos a los niños por los errores de los adultos?».[4] Si un niño llega al mundo en circunstancias no deseadas, los padres, u otros miembros de la familia, deben hacer todo lo posible por aceptarlo como don de Dios y por asumir la responsabilidad de acogerlo con apertura y cariño. Porque «cuando se trata de los niños que vienen al mundo, ningún sacrificio de los adultos será considerado demasiado costoso o demasiado grande, con tal de evitar que un niño piense que es un error, que no vale nada y que ha sido abandonado a las heridas de la vida y a la prepotencia de los hombres».[5] El don de un nuevo hijo, que el Señor confía a papá y mamá, comienza con la acogida, prosigue con la custodia a lo largo de la vida terrena y tiene como destino final el gozo de la vida eterna. Una mirada serena hacia el cumplimiento último de la persona humana, hará a los

---

[3] *Ibíd.*

[4] *Catequesis* (8 abril 2015): *L'Osservatore Romano*, ed. semanal en lengua española, 10 de abril de 2015, p. 16.

[5] *Ibíd.*

padres todavía más conscientes del precioso don que les ha sido confiado. En efecto, a ellos les ha concedido Dios elegir el nombre con el que él llamará cada uno de sus hijos por toda la eternidad.[6]

167. Las familias numerosas son una alegría para la Iglesia. En ellas, el amor expresa su fecundidad generosa. Esto no implica olvidar una sana advertencia de san Juan Pablo II, cuando explicaba que la paternidad responsable no es «procreación ilimitada o falta de conciencia de lo que implica educar a los hijos, sino más bien la facultad que los esposos tienen de usar su libertad inviolable de modo sabio y responsable, teniendo en cuenta tanto las realidades sociales y demográficas, como su propia situación y sus deseos legítimos».[7]

El amor en la espera propia del embarazo

168. El embarazo es una época difícil, pero también es un tiempo maravilloso. La madre acompaña a Dios para que se produzca el milagro

[6] Cf. Conc. Ecum. Vat II, Const. past. *Gaudium et spes*, sobre la Iglesia en el mundo actual, 51: «Sea claro a todos que la vida de los hombres y la tarea de transmitirla no se limita a este mundo sólo y no se puede medir ni entender sólo por él, sino que mira siempre al destino eterno de los hombres».

[7] Juan Pablo II, *Carta a la Secretaria General de la Conferencia internacional de la Organización de Naciones Unidas sobre la población y el desarrollo* (18 marzo 1994): *L'Osservatore Romano*, ed. semanal en lengua española, 8 de abril de 1994, p. 11.

de una nueva vida. La maternidad surge de una «particular potencialidad del organismo femenino, que con peculiaridad creadora sirve a la concepción y a la generación del ser humano».[8] Cada mujer participa del «misterio de la creación, que se renueva en la generación humana».[9] Es como dice el Salmo: «Tú me has tejido en el seno materno» (139, 13). Cada niño que se forma dentro de su madre es un proyecto eterno del Padre Dios y de su amor eterno: «Antes de formarte en el vientre, te escogí; antes de que salieras del seno materno, te consagré» (*Jr* 1, 5). Cada niño está en el corazón de Dios desde siempre, y en el momento en que es concebido se cumple el sueño eterno del Creador. Pensemos cuánto vale ese embrión desde el instante en que es concebido. Hay que mirarlo con esos ojos de amor del Padre, que mira más allá de toda apariencia.

169. La mujer embarazada puede participar de ese proyecto de Dios soñando a su hijo: «Toda mamá y todo papá soñó a su hijo durante nueve meses [...] No es posible una familia sin soñar. Cuando en una familia se pierde la capacidad de soñar los chicos no crecen, el amor no crece, la

---

[8] Id., *Catequesis* (12 marzo 1980), 3: *L'Osservatore Romano*, ed. semanal en lengua española, 16 de marzo de 1980, p. 3.

[9] *Ibíd.*

vida se debilita y se apaga».[10] Dentro de ese sueño, para un matrimonio cristiano, aparece necesariamente el bautismo. Los padres lo preparan con su oración, entregando su hijo a Jesús ya antes de su nacimiento.

170. Con los avances de las ciencias hoy se puede saber de antemano qué color de cabellos tendrá el niño y qué enfermedades podrá sufrir en el futuro, porque todas las características somáticas de esa persona están inscritas en su código genético ya en el estado embrionario. Pero sólo el Padre que lo creó lo conoce en plenitud. Sólo Él conoce lo más valioso, lo más importante, porque Él sabe quién es ese niño, cuál es su identidad más honda. La madre que lo lleva en su seno necesita pedir luz a Dios para poder conocer en profundidad a su propio hijo y para esperarlo tal cual es. Algunos padres sienten que su niño no llega en el mejor momento. Les hace falta pedirle al Señor que los sane y los fortalezca para aceptar plenamente a ese hijo, para que puedan esperarlo de corazón. Es importante que ese niño se sienta esperado. Él no es un complemento o una solución para una inquietud personal. Es un ser humano, con un valor inmenso, y no puede ser usado para el propio beneficio. Entonces, no es importante si

[10] *Discurso en el Encuentro con las Familias en Manila* (16 enero 2015): AAS 107 (2015), 176.

esa nueva vida te servirá o no, si tiene características que te agradan o no, si responde o no a tus proyectos y a tus sueños. Porque «los hijos son un don. Cada uno es único e irrepetible [...] Se ama a un hijo porque es hijo, no porque es hermoso o porque es de una o de otra manera; no, porque es hijo. No porque piensa como yo o encarna mis deseos. Un hijo es un hijo».[11] El amor de los padres es instrumento del amor del Padre Dios que espera con ternura el nacimiento de todo niño, lo acepta sin condiciones y lo acoge gratuitamente.

171. A cada mujer embarazada quiero pedirle con afecto: Cuida tu alegría, que nada te quite el gozo interior de la maternidad. Ese niño merece tu alegría. No permitas que los miedos, las preocupaciones, los comentarios ajenos o los problemas apaguen esa felicidad de ser instrumento de Dios para traer una nueva vida al mundo. Ocúpate de lo que haya que hacer o preparar, pero sin obsesionarte, y alaba como María: «Proclama mi alma la grandeza del Señor, se alegra mi espíritu en Dios, mi salvador; porque ha mirado la humillación de su sierva» (*Lc* 1, 46-48). Vive ese sereno entusiasmo en medio de tus molestias, y ruega al Señor que cuide tu alegría para que puedas transmitirla a tu niño.

[11] *Catequesis* (11 febrero 2015): *L'Osservatore Romano*, ed. semanal en lengua española, 13 de febrero de 2015, p. 12.

Amor de madre y de padre

172. «Los niños, apenas nacidos, comienzan a recibir como don, junto a la comida y los cuidados, la confirmación de las cualidades espirituales del amor. Los actos de amor pasan a través del don del nombre personal, el lenguaje compartido, las intenciones de las miradas, las iluminaciones de las sonrisas. Aprenden así que la belleza del vínculo entre los seres humanos apunta a nuestra alma, busca nuestra libertad, acepta la diversidad del otro, lo reconoce y lo respeta como interlocutor [...] y esto es amor, que trae una chispa del amor de Dios».[12] Todo niño tiene derecho a recibir el amor de una madre y de un padre, ambos necesarios para su maduración íntegra y armoniosa. Como dijeron los Obispos de Australia, ambos «contribuyen, cada uno de una manera distinta, a la crianza de un niño. Respetar la dignidad de un niño significa afirmar su necesidad y derecho natural a una madre y a un padre».[13] No se trata sólo del amor del padre y de la madre por separado, sino también del amor entre ellos, percibido como fuente de la propia existencia, como nido que acoge y como fundamento de la familia. De

[12] *Catequesis* (14 octubre 2015): *L'Osservatore Romano*, ed. semanal en lengua española, 16 de octubre de 2015, p. 12.

[13] Conferencia de Obispos Católicos de Australia, Carta past. *Don't Mess with Marriage* (24 noviembre 2015), 13.

otro modo, el hijo parece reducirse a una posesión caprichosa. Ambos, varón y mujer, padre y madre, son «cooperadores del amor de Dios Creador y en cierta manera sus intérpretes».[14] Muestran a sus hijos el rostro materno y el rostro paterno del Señor. Además, ellos juntos enseñan el valor de la reciprocidad, del encuentro entre diferentes, donde cada uno aporta su propia identidad y sabe también recibir del otro. Si por alguna razón inevitable falta uno de los dos, es importante buscar algún modo de compensarlo, para favorecer la adecuada maduración del hijo.

173. El sentimiento de orfandad que viven hoy muchos niños y jóvenes es más profundo de lo que pensamos. Hoy reconocemos como muy legítimo, e incluso deseable, que las mujeres quieran estudiar, trabajar, desarrollar sus capacidades y tener objetivos personales. Pero, al mismo tiempo, no podemos ignorar la necesidad que tienen los niños de la presencia materna, especialmente en los primeros meses de vida. La realidad es que «la mujer está ante el hombre como madre, sujeto de la nueva vida humana que se concibe y se desarrolla en ella, y de ella nace al mundo».[15]

---

[14] Conc. Ecum. Vat. II, Const. past. *Gaudium et spes*, sobre la Iglesia en el mundo actual, 50.

[15] Juan Pablo II, *Catequesis* (12 marzo 1980), 2: *L'Osservatore Romano,* ed. semanal en lengua española, 16 de marzo de 1980, p. 3.

El debilitamiento de la presencia materna con sus cualidades femeninas es un riesgo grave para nuestra tierra. Valoro el feminismo cuando no pretende la uniformidad ni la negación de la maternidad. Porque la grandeza de la mujer implica todos los derechos que emanan de su inalienable dignidad humana, pero también de su genio femenino, indispensable para la sociedad.[16] Sus capacidades específicamente femeninas —en particular la maternidad— le otorgan también deberes, porque su ser mujer implica también una misión peculiar en esta tierra, que la sociedad necesita proteger y preservar para bien de todos.

174. De hecho, «las madres son el antídoto más fuerte ante la difusión del individualismo egoísta [...] Son ellas quienes testimonian la belleza de la vida».[17] Sin duda, «una sociedad sin madres sería una sociedad inhumana, porque las madres saben testimoniar siempre, incluso en los peores momentos, la ternura, la entrega, la fuerza moral. Las madres transmiten a menudo también el sentido más profundo de la práctica religiosa: en las primeras oraciones, en los primeros gestos de devoción que aprende un niño [...] Sin las

---

[16] Cf. Id., Carta ap. *Mulieris dignitatem* (15 agosto 1988), 30-31: *AAS* 80 (1988), 1726-1729.

[17] *Catequesis* (7 enero 2015): *L'Osservatore Romano*, ed. semanal en lengua española, 9 de enero de 2015, p. 16.

madres, no sólo no habría nuevos fieles, sino que la fe perdería buena parte de su calor sencillo y profundo. [...] Queridísimas mamás, gracias, gracias por lo que son en la familia y por lo que dan a la Iglesia y al mundo».[18]

175. La madre, que ampara al niño con su ternura y su compasión, le ayuda a despertar la confianza, a experimentar que el mundo es un lugar bueno que lo recibe, y esto permite desarrollar una autoestima que favorece la capacidad de intimidad y la empatía. La figura paterna, por otra parte, ayuda a percibir los límites de la realidad, y se caracteriza más por la orientación, por la salida hacia el mundo más amplio y desafiante, por la invitación al esfuerzo y a la lucha. Un padre con una clara y feliz identidad masculina, que a su vez combine en su trato con la mujer el afecto y la protección, es tan necesario como los cuidados maternos. Hay roles y tareas flexibles, que se adaptan a las circunstancias concretas de cada familia, pero la presencia clara y bien definida de las dos figuras, femenina y masculina, crea el ámbito más adecuado para la maduración del niño.

176. Se dice que nuestra sociedad es una «sociedad sin padres». En la cultura occidental, la figura del padre estaría simbólicamente ausente,

---

[18] *Ibíd.*

desviada, desvanecida. Aun la virilidad pareciera cuestionada. Se ha producido una comprensible confusión, porque «en un primer momento esto se percibió como una liberación: liberación del padre-patrón, del padre como representante de la ley que se impone desde fuera, del padre como censor de la felicidad de los hijos y obstáculo a la emancipación y autonomía de los jóvenes. A veces, en el pasado, en algunas casas, reinaba el autoritarismo, en ciertos casos nada menos que el maltrato».[19] Pero, «como sucede con frecuencia, se pasa de un extremo a otro. El problema de nuestros días no parece ser ya tanto la presencia entrometida del padre, sino más bien su ausencia, el hecho de no estar presente. El padre está algunas veces tan concentrado en sí mismo y en su trabajo, y a veces en sus propias realizaciones individuales, que olvida incluso a la familia. Y deja solos a los pequeños y a los jóvenes».[20] La presencia paterna, y por tanto su autoridad, se ve afectada también por el tiempo cada vez mayor que se dedica a los medios de comunicación y a la tecnología de la distracción. Hoy, además, la autoridad está puesta bajo sospecha y los adultos son crudamente cuestionados. Ellos mismos abandonan las certezas y por eso no dan orientaciones seguras y bien fundadas a

[19] *Catequesis* (28 enero 2015): *L'Osservatore Romano*, ed. semanal en lengua española, 30 de enero de 2015, p. 16.

[20] *Ibíd.*

sus hijos. No es sano que se intercambien los roles entre padres e hijos, lo cual daña el adecuado proceso de maduración que los niños necesitan recorrer y les niega un amor orientador que les ayude a madurar.[21]

177. Dios pone al padre en la familia para que, con las características valiosas de su masculinidad, «sea cercano a la esposa, para compartir todo, alegrías y dolores, cansancios y esperanzas. Y que sea cercano a los hijos en su crecimiento: cuando juegan y cuando tienen ocupaciones, cuando están despreocupados y cuando están angustiados, cuando se expresan y cuando son taciturnos, cuando se lanzan y cuando tienen miedo, cuando dan un paso equivocado y cuando vuelven a encontrar el camino; padre presente, siempre. Decir presente no es lo mismo que decir controlador. Porque los padres demasiado controladores anulan a los hijos».[22] Algunos padres se sienten inútiles o innecesarios, pero la verdad es que «los hijos necesitan encontrar un padre que los espera cuando regresan de sus fracasos. Harán de todo por no admitirlo, para no hacerlo ver, pero lo

[21] Cf. *Relación final* 2015, 28.

[22] *Catequesis* (4 febrero 2015): *L'Osservatore Romano*, ed. semanal en lengua española, 6 de febrero de 2015, p. 16.

necesitan».[23] No es bueno que los niños se queden sin padres y así dejen de ser niños antes de tiempo.

Fecundidad ampliada

178. Muchas parejas de esposos no pueden tener hijos. Sabemos lo mucho que se sufre por ello. Por otro lado, sabemos también que «el matrimonio no ha sido instituido solamente para la procreación [...] Por ello, aunque la prole, tan deseada, muchas veces falte, el matrimonio, como amistad y comunión de la vida toda, sigue existiendo y conserva su valor e indisolubilidad».[24] Además, «la maternidad no es una realidad exclusivamente biológica, sino que se expresa de diversas maneras».[25]

179. La adopción es un camino para realizar la maternidad y la paternidad de una manera muy generosa, y quiero alentar a quienes no pueden tener hijos a que sean magnánimos y abran su amor matrimonial para recibir a quienes están privados de un adecuado contexto familiar. Nunca se arrepentirán de haber sido generosos. Adoptar es el acto de amor de regalar una familia a quien no la

---

[23] *Ibíd.*

[24] Conc. Ecum. Vat. II, Const. past. *Gaudium et spes*, sobre la Iglesia en el mundo actual, 50.

[25] V Conferencia General del Episcopado Latinoamericano y del Caribe, *Documento de Aparecida* (29 junio 2007), 457.

tiene. Es importante insistir en que la legislación pueda facilitar los trámites de adopción, sobre todo en los casos de hijos no deseados, en orden a prevenir el aborto o el abandono. Los que asumen el desafío de adoptar y acogen a una persona de manera incondicional y gratuita, se convierten en mediaciones de ese amor de Dios que dice: «Aunque tu madre te olvidase, yo jamás te olvidaría» (*Is* 49, 15).

180. «La opción de la adopción y de la acogida expresa una fecundidad particular de la experiencia conyugal, no sólo en los casos de esposos con problemas de fertilidad [...] Frente a situaciones en las que el hijo es querido a cualquier precio, como un derecho a la propia autoafirmación, la adopción y la acogida, entendidas correctamente, muestran un aspecto importante del ser padres y del ser hijos, en cuanto ayudan a reconocer que los hijos, tanto naturales como adoptados o acogidos, son otros sujetos en sí mismos y que hace falta recibirlos, amarlos, hacerse cargo de ellos y no sólo traerlos al mundo. El interés superior del niño debe primar en los procesos de adopción y acogida».[26] Por otra parte, «se debe frenar el tráfico de niños entre países y continentes mediante oportunas medidas legislativas y el control estatal».[27]

---

[26] *Relación final* 2015, 65.

[27] *Ibíd.*

181. Conviene también recordar que la procreación o la adopción no son las únicas maneras de vivir la fecundidad del amor. Aun la familia con muchos hijos está llamada a dejar su huella en la sociedad donde está inserta, para desarrollar otras formas de fecundidad que son como la prolongación del amor que la sustenta. No olviden las familias cristianas que «la fe no nos aleja del mundo, sino que nos introduce más profundamente en él [...] Cada uno de nosotros tiene un papel especial que desempeñar en la preparación de la venida del Reino de Dios».[28] La familia no debe pensar a sí misma como un recinto llamado a protegerse de la sociedad. No se queda a la espera, sino que sale de sí en la búsqueda solidaria. Así se convierte en un nexo de integración de la persona con la sociedad y en un punto de unión entre lo público y lo privado. Los matrimonios necesitan adquirir una clara y convencida conciencia sobre sus deberes sociales. Cuando esto sucede, el afecto que los une no disminuye, sino que se llena de nueva luz, como lo expresan los siguientes versos:

«Tus manos son mi caricia
mis acordes cotidianos
te quiero porque tus manos
trabajan por la justicia.

---

[28] *Discurso en el Encuentro con las Familias en Manila* (16 enero 2015): *AAS* 107 (2015), 178.

Si te quiero es porque sos
mi amor mi cómplice y todo
y en la calle codo a codo
somos mucho más que dos».[29]

182. Ninguna familia puede ser fecunda si se concibe como demasiado diferente o «separada». Para evitar este riesgo, recordemos que la familia de Jesús, llena de gracia y de sabiduría, no era vista como una familia «rara», como un hogar extraño y alejado del pueblo. Por eso mismo a la gente le costaba reconocer la sabiduría de Jesús y decía: «¿De dónde saca todo eso? [...] ¿No es este el carpintero, el hijo de María?» (Mc 6, 2-3). «¿No es el hijo del carpintero?» (Mc 6, 2-3). «¿No es este el hijo del carpintero?» (Mt 13, 55). Esto confirma que era una familia sencilla, cercana a todos, integrada con normalidad en el pueblo. Jesús tampoco creció en una relación cerrada y absorbente con María y con José, sino que se movía gustosamente en la familia ampliada, que incluía a los parientes y amigos. Eso explica que, cuando volvían de Jerusalén, sus padres aceptaban que el niño de doce años se perdiera en la caravana un día entero, escuchando las narraciones y compartiendo las preocupaciones de todos: «Creyendo que estaba en la caravana, anduvieron el camino de un día»

[29] Mario Benedetti, «Te quiero», en *Poemas de otros*, Buenos Aires 1993, 316.

(*Lc* 2, 44). Sin embargo a veces sucede que algunas familias cristianas, por el lenguaje que usan, por el modo de decir las cosas, por el estilo de su trato, por la repetición constante de dos o tres temas, son vistas como lejanas, como separadas de la sociedad, y hasta sus propios parientes se sienten despreciados o juzgados por ellas.

183. Un matrimonio que experimente la fuerza del amor, sabe que ese amor está llamado a sanar las heridas de los abandonados, a instaurar la cultura del encuentro, a luchar por la justicia. Dios ha confiado a la familia el proyecto de hacer «doméstico» el mundo,[30] para que todos lleguen a sentir a cada ser humano como un hermano: «Una mirada atenta a la vida cotidiana de los hombres y mujeres de hoy muestra inmediatamente la necesidad que hay por todos lados de una robusta inyección de espíritu familiar [...] No sólo la organización de la vida común se topa cada vez más con una burocracia del todo extraña a las uniones humanas fundamentales, sino, incluso, las costumbres sociales y políticas muestran a menudo signos de degradación».[31] En cambio, las familias abiertas y solidarias hacen espacio a los pobres, son capaces

[30] Cf. *Catequesis* (16 septiembre 2015): *L'Osservatore Romano*, ed. semanal en lengua española, 18 de septiembre de 2015, p. 6.

[31] *Catequesis* (7 octubre 2015): *L'Osservatore Romano*, ed. semanal en lengua española, 9 de octubre de 2015, p. 2.

de tejer una amistad con quienes lo están pasando peor que ellas. Si realmente les importa el Evangelio, no pueden olvidar lo que dice Jesús: «Que cada vez que lo hicieron con uno de estos, mis hermanos más pequeños, conmigo lo hicieron» (*Mt* 25, 40). En definitiva, viven lo que se nos pide con tanta elocuencia en este texto: «Cuando des una comida o una cena, no llames a tus amigos, ni a tus hermanos, ni a tus parientes, ni a tus vecinos ricos. Porque si luego ellos te invitan a ti, esa será tu recompensa. Cuando des un banquete, llama a los pobres, a los lisiados, a los cojos, a los ciegos, y serás dichoso» (*Lc* 14, 12-14). ¡Serás dichoso! He aquí el secreto de una familia feliz.

184. Con el testimonio, y también con la palabra, las familias hablan de Jesús a los demás, transmiten la fe, despiertan el deseo de Dios, y muestran la belleza del Evangelio y del estilo de vida que nos propone. Así, los matrimonios cristianos pintan el gris del espacio público llenándolo del color de la fraternidad, de la sensibilidad social, de la defensa de los frágiles, de la fe luminosa, de la esperanza activa. Su fecundidad se amplía y se traduce en miles de maneras de hacer presente el amor de Dios en la sociedad.

Discernir el cuerpo

185. En esta línea es conveniente tomar muy en serio un texto bíblico que suele ser interpretado fuera de su contexto, o de una manera muy general, con lo cual se puede descuidar su sentido más inmediato y directo, que es marcadamente social. Se trata de *1Co* 11, 17-34, donde san Pablo enfrenta una situación vergonzosa de la comunidad. Allí, algunas personas acomodadas tendían a discriminar a los pobres, y esto se producía incluso en el ágape que acompañaba a la celebración de la Eucaristía. Mientras los ricos gustaban sus manjares, los pobres se quedaban mirando y sin tener qué comer: Así, «uno pasa hambre, el otro está borracho. ¿No tienen casas donde comer y beber? ¿O tienen en tan poco a la Iglesia de Dios que humillan a los pobres?» (vv. 21-22).

186. La Eucaristía reclama la integración en un único cuerpo eclesial. Quien se acerca al Cuerpo y a la Sangre de Cristo no puede al mismo tiempo ofender este mismo Cuerpo provocando escandalosas divisiones y discriminaciones entre sus miembros. Se trata, pues, de «discernir» el Cuerpo del Señor, de reconocerlo con fe y caridad, tanto en los signos sacramentales como en la comunidad, de otro modo, se come y se bebe la propia condenación (cf. v. 11, 29). Este texto bíblico es una seria advertencia para las familias que

se encierran en su propia comodidad y se aíslan, pero más particularmente para las familias que permanecen indiferentes ante el sufrimiento de las familias pobres y más necesitadas. La celebración eucarística se convierte así en un constante llamado para «que cada cual se examine» (v. 28) en orden a abrir las puertas de la propia familia a una mayor comunión con los descartables de la sociedad, y, entonces sí, recibir el Sacramento del amor eucarístico que nos hace un sólo cuerpo. No hay que olvidar que «la "mística" del Sacramento tiene un carácter social».[32] Cuando quienes comulgan se resisten a dejarse impulsar en un compromiso con los pobres y sufrientes, o consienten distintas formas de división, de desprecio y de inequidad, la Eucaristía es recibida indignamente. En cambio, las familias que se alimentan de la Eucaristía con adecuada disposición refuerzan su deseo de fraternidad, su sentido social y su compromiso con los necesitados.

La vida en la familia grande

187. El pequeño núcleo familiar no debería aislarse de la familia ampliada, donde están los padres, los tíos, los primos, e incluso los vecinos. En esa familia grande puede haber algunos

[32] Benedicto XVI, Carta enc. *Deus caritas est* (25 diciembre 2005), 14: *AAS* 98 (2006), 228.

necesitados de ayuda, o al menos de compañía y de gestos de afecto, o puede haber grandes sufrimientos que necesitan un consuelo.[33] El individualismo de estos tiempos a veces lleva a encerrarse en un pequeño nido de seguridad y a sentir a los otros como un peligro molesto. Sin embargo, ese aislamiento no brinda más paz y felicidad, sino que cierra el corazón de la familia y la priva de la amplitud de la existencia.

Ser hijos

188. En primer lugar, hablemos de los propios padres. Jesús recordaba a los fariseos que el abandono de los padres está en contra de la Ley de Dios (cf. Mc 7, 8-13). A nadie le hace bien perder la conciencia de ser hijo. En cada persona, «incluso cuando se llega a la edad de adulto o anciano, también si se convierte en padre, si ocupa un sitio de responsabilidad, por debajo de todo esto permanece la identidad de hijo. Todos somos hijos. Y esto nos reconduce siempre al hecho de que la vida no nos la hemos dado nosotros mismos sino que la hemos recibido. El gran don de la vida es el primer regalo que nos ha sido dado».[34]

---

[33] Cf. *Relación final* 2015, 11.

[34] *Catequesis* (18 marzo 2015): *L'Osservatore Romano*, ed. semanal en lengua española, 20 de marzo de 2015, p. 12.

189. Por eso, «el cuarto mandamiento pide a los hijos [...] que honren al padre y a la madre (cf. *Ex* 20, 12). Este mandamiento viene inmediatamente después de los que se refieren a Dios mismo. En efecto, encierra algo sagrado, algo divino, algo que está en la raíz de cualquier otro tipo de respeto entre los hombres. Y en la formulación bíblica del cuarto mandamiento se añade: "para que se prolonguen tus días en la tierra que el Señor, tu Dios, te va a dar". El vínculo virtuoso entre las generaciones es garantía de futuro, y es garantía de una historia verdaderamente humana. Una sociedad de hijos que no honran a sus padres es una sociedad sin honor [...] Es una sociedad destinada a poblarse de jóvenes desapacibles y ávidos».[35]

190. Pero la moneda tiene otra cara: «Abandonará el hombre a su padre y a su madre» (*Gn* 2, 24), dice la Palabra de Dios. Esto a veces no se cumple, y el matrimonio no termina de asumirse porque no se ha hecho esa renuncia y esa entrega. Los padres no deben ser abandonados ni descuidados, pero para unirse en matrimonio hay que dejarlos, de manera que el nuevo hogar sea la morada, la protección, la plataforma y el proyecto, y sea posible convertirse de verdad en «una sola carne» (*ibíd.*). En algunos matrimonios ocurre que

---

[35] *Catequesis* (11 febrero 2015): *L'Osservatore Romano,* ed. semanal en lengua española, 13 de febrero de 2015, p. 12.

se ocultan muchas cosas al propio cónyuge que, en cambio se hablan con los propios padres, hasta el punto que importan más las opiniones de los padres que los sentimientos y las opiniones del cónyuge. No es fácil sostener esta situación por mucho tiempo, y sólo cabe de manera provisoria, mientras se crean las condiciones para crecer en la confianza y en la comunicación. El matrimonio desafía a encontrar una nueva manera de ser hijos.

Los ancianos

191. «No me rechaces ahora en la vejez, me van faltando las fuerzas, no me abandones» (*Sal* 71, 9). Es el clamor del anciano, que teme el olvido y el desprecio. Así como Dios nos invita a ser sus instrumentos para escuchar la súplica de los pobres, también espera que escuchemos el grito de los ancianos.[36] Esto interpela a las familias y a las comunidades, porque «la Iglesia no puede y no quiere conformarse a una mentalidad de intolerancia, y mucho menos de indiferencia y desprecio, respecto a la vejez. Debemos despertar el sentido colectivo de gratitud, de aprecio, de hospitalidad, que hagan sentir al anciano parte viva de su comunidad. Los ancianos son hombres y mujeres, padres y madres que estuvieron antes que

[36] Cf. *Relación final* 2015, 17-18.

nosotros en el mismo camino, en nuestra misma casa, en nuestra diaria batalla por una vida digna».[37] Por eso, «¡cuánto quisiera una Iglesia que desafía la cultura del descarte con la alegría desbordante de un nuevo abrazo entre los jóvenes y los ancianos!».[38]

192. San Juan Pablo II nos invitó a prestar atención al lugar del anciano en la familia, porque hay culturas que, «como consecuencia de un desordenado desarrollo industrial y urbanístico, han llevado y siguen llevando a los ancianos a formas inaceptables de marginación».[39] Los ancianos ayudan a percibir «la continuidad de las generaciones», con «el carisma de servir de puente».[40] Muchas veces son los abuelos quienes aseguran la transmisión de los grandes valores a sus nietos, y «muchas personas pueden reconocer que deben precisamente a sus abuelos la iniciación a la vida cristiana».[41] Sus palabras, sus caricias o su sola presencia, ayudan a los niños a reconocer

---

[37] *Catequesis* (4 marzo 2015): *L'Osservatore Romano*, ed. semanal en lengua española, 6 de marzo de 2015, p. 12.

[38] *Catequesis* (11 marzo 2015): *L'Osservatore Romano*, ed. semanal en lengua española, 13 de marzo de 2015, p.16.

[39] Exhort. ap. *Familiaris consortio* (22 noviembre 1981), 27: AAS 74 (1982), 113.

[40] Juan Pablo II, *Discurso a los participantes en el «Foro internacional sobre la Tercera Edad»* (5 septiembre 1980), 5: *L'Osservatore Romano*, ed. semanal en lengua española, 19 de octubre de 1980, p. 16.

[41] *Relación final* 2015, 18.

que la historia no comienza con ellos, que son herederos de un viejo camino y que es necesario respetar el trasfondo que nos antecede. Quienes rompen lazos con la historia tendrán dificultades para tejer relaciones estables y para reconocer que no son los dueños de la realidad. Entonces, «la atención a los ancianos habla de la calidad de una civilización. ¿Se presta atención al anciano en una civilización? ¿Hay sitio para el anciano? Esta civilización seguirá adelante si sabe respetar la sabiduría, la sabiduría de los ancianos».[42]

193. La ausencia de memoria histórica es un serio defecto de nuestra sociedad. Es la mentalidad inmadura del «ya fue». Conocer y poder tomar posición frente a los acontecimientos pasados es la única posibilidad de construir un futuro con sentido. No se puede educar sin memoria: «Recuerden aquellos días primeros» (*Hb* 10, 32). Las narraciones de los ancianos hacen mucho bien a los niños y jóvenes, ya que los conectan con la historia vivida tanto de la familia como del barrio y del país. Una familia que no respeta y atiende a sus abuelos, que son su memoria viva, es una familia desintegrada; pero una familia que recuerda es una familia con porvenir. Por lo tanto, «en una civilización en la que no hay sitio para los ancianos

---

[42] *Catequesis* (4 marzo 2015): *L'Osservatore Romano*, ed. semanal en lengua española, 6 de marzo de 2015, p. 12.

o se los descarta porque crean problemas, esta sociedad lleva consigo el virus de la muerte»,[43] ya que «se arranca de sus propias raíces».[44] El fenómeno de la orfandad contemporánea, en términos de discontinuidad, desarraigo y caída de las certezas que dan forma a la vida, nos desafía a hacer de nuestras familias un lugar donde los niños puedan arraigarse en el suelo de una historia colectiva.

Ser hermanos

194. La relación entre los hermanos se profundiza con el paso del tiempo, y «el vínculo de fraternidad que se forma en la familia entre los hijos, si se da en un clima de educación abierto a los demás, es una gran escuela de libertad y de paz. En la familia, entre hermanos, se aprende la convivencia humana [...] Tal vez no siempre somos conscientes de ello, pero es precisamente la familia la que introduce la fraternidad en el mundo. A partir de esta primera experiencia de hermandad, nutrida por los afectos y por la educación familiar, el estilo de la fraternidad se irradia como una promesa sobre toda la sociedad».[45]

---

[43] *Ibíd.*

[44] *Discurso en el Encuentro con los Ancianos* (28 septiembre 2014): *L'Osservatore Romano,* ed. semanal en lengua española, 3 de octubre de 2014, p. 6.

[45] *Catequesis* (18 febrero 2015): *L'Osservatore Romano,* ed. semanal en lengua española, 20 de febrero de 2015, p. 2.

195. Crecer entre hermanos brinda la hermosa experiencia de cuidarnos, de ayudar y de ser ayudados. Por eso, «la fraternidad en la familia resplandece de modo especial cuando vemos el cuidado, la paciencia, el afecto con los cuales se rodea al hermanito o a la hermanita más débiles, enfermos, o con discapacidad».[46] Hay que reconocer que «tener un hermano, una hermana que te quiere, es una experiencia fuerte, impagable, insustituible»,[47] pero hay que enseñar con paciencia a los hijos a tratarse como hermanos. Ese aprendizaje, a veces costoso, es una verdadera escuela de sociabilidad. En algunos países existe una fuerte tendencia a tener un solo hijo, con lo cual la experiencia de ser hermano comienza a ser poco común. En los casos en que no se haya podido tener más de un hijo, habrá que encontrar las maneras de que el niño no crezca solo o aislado.

Un corazón grande

196. Además del círculo pequeño que conforman los cónyuges y sus hijos, está la familia grande que no puede ser ignorada. Porque «el amor entre el hombre y la mujer en el matrimonio y, de forma derivada y más amplia, el amor entre los miembros

[46] *Ibíd.*
[47] *Ibíd.*

de la misma familia —entre padres e hijos, entre hermanos y hermanas, entre parientes y familiares— está animado e impulsado por un dinamismo interior e incesante que conduce la familia a una comunión cada vez más profunda e intensa, fundamento y alma de la comunidad conyugal y familiar».[48] Allí también se integran los amigos y las familias amigas, e incluso las comunidades de familias que se apoyan mutuamente en sus dificultades, en su compromiso social y en su fe.

197. Esta familia grande debería integrar con mucho amor a las madres adolescentes, a los niños sin padres, a las mujeres solas que deben llevar adelante la educación de sus hijos, a las personas con alguna discapacidad que requieren mucho afecto y cercanía, a los jóvenes que luchan contra una adicción, a los solteros, separados o viudos que sufren la soledad, a los ancianos y enfermos que no reciben el apoyo de sus hijos, y en su seno tienen cabida «incluso los más desastrosos en las conductas de su vida».[49] También puede ayudar a compensar las fragilidades de los padres, o detectar y denunciar a tiempo posibles situaciones de violencia o incluso de abuso sufridas por los

---

[48] Juan Pablo II, Exhort. ap. *Familiaris consortio* (22 noviembre 1981), 18: *AAS* 74 (1982), 101.

[49] *Catequesis* (7 octubre 2015): *L'Osservatore Romano*, ed. semanal en lengua española, 9 de octubre de 2015, p. 2.

niños, dándoles un amor sano y una tutela familiar cuando sus padres no pueden asegurarla.

198. Finalmente, no se puede olvidar que en esta familia grande están también el suegro, la suegra y todos los parientes del cónyuge. Una delicadeza propia del amor consiste en evitar verlos como competidores, como seres peligrosos, como invasores. La unión conyugal reclama respetar sus tradiciones y costumbres, tratar de comprender su lenguaje, contener las críticas, cuidarlos e integrarlos de alguna manera en el propio corazón, aun cuando haya que preservar la legítima autonomía y la intimidad de la pareja. Estas actitudes son también un modo exquisito de expresar la generosidad de la entrega amorosa al propio cónyuge.

CAPÍTULO SEXTO

ALGUNAS PERSPECTIVAS PASTORALES

199. El diálogo del camino sinodal llevaron a plantear la necesidad de desarrollar nuevos caminos pastorales, que procuraré recoger ahora de manera general. Serán las distintas comunidades quienes deberán elaborar propuestas más prácticas y eficaces, que tengan en cuenta tanto las enseñanzas de la Iglesia como las necesidades y los desafíos locales. Sin pretender presentar aquí una pastoral de la familia, quiero detenerme sólo a recoger algunos de los grandes desafíos pastorales.

Anunciar el Evangelio de la familia hoy

200. Los Padres sinodales insistieron en que las familias cristianas, por la gracia del sacramento nupcial, son los principales sujetos de la pastoral familiar, sobre todo aportando «el testimonio gozoso de los cónyuges y de las familias, iglesias domésticas».[1] Por ello, remarcaron que «se trata de hacer experimentar que el Evangelio de la familia

[1] *Relatio Synodi* 2014, 30.

es alegría que "llena el corazón y la vida entera", porque en Cristo somos "liberados del pecado, de la tristeza, del vacío interior, del aislamiento" (*Evangelii gaudium*, 1). A la luz de la parábola del sembrador (cf. *Mt* 13, 3-9), nuestra tarea es cooperar en la siembra: lo demás es obra de Dios. Tampoco hay que olvidar que la Iglesia que predica sobre la familia es signo de contradicción»,[2] pero los matrimonios agradecen que los pastores les ofrezcan motivaciones para una valiente apuesta por un amor fuerte, sólido, duradero, capaz de hacer frente a todo lo que se le cruce por delante. La Iglesia quiere llegar a las familias con humilde comprensión, y su deseo «es acompañar a cada una y a todas las familias para que puedan descubrir la mejor manera de superar las dificultades que se encuentran en su camino».[3] No basta incorporar una genérica preocupación por la familia en los grandes proyectos pastorales. Para que las familias puedan ser cada vez más sujetos activos de la pastoral familiar, se requiere «un esfuerzo evangelizador y catequístico dirigido a la familia»,[4] que la oriente en este sentido.

201. «Esto exige a toda la Iglesia una conversión misionera: es necesario no quedarse en un

[2] *Ibíd.*, 31.

[3] *Relación final* 2015, 56.

[4] *Ibíd.*, 89.

anuncio meramente teórico y desvinculado de los problemas reales de las personas».[5] La pastoral familiar «debe hacer experimentar que el Evangelio de la familia responde a las expectativas más profundas de la persona humana: a su dignidad y a la realización plena en la reciprocidad, en la comunión y en la fecundidad. No se trata solamente de presentar una normativa, sino de proponer valores, respondiendo a la necesidad que se constata hoy, incluso en los países más secularizados, de tales valores».[6] También «se ha subrayado la necesidad de una evangelización que denuncie con franqueza los condicionamientos culturales, sociales, políticos y económicos, como el espacio excesivo concedido a la lógica de mercado, que impiden una auténtica vida familiar, determinando discriminaciones, pobreza, exclusiones y violencia. Para ello, hay que entablar un diálogo y una cooperación con las estructuras sociales, así como alentar y sostener a los laicos que se comprometen, como cristianos, en el ámbito cultural y sociopolítico».[7]

202. «La principal contribución a la pastoral familiar la ofrece la parroquia, que es una familia de familias, donde se armonizan los aportes de las

---

[5] *Relatio Synodi* 2014, 32.

[6] *Ibíd.*, 33.

[7] *Ibíd.*, 38.

pequeñas comunidades, movimientos y asociaciones eclesiales».[8] Junto con una pastoral específicamente orientada a las familias, se nos plantea la necesidad de «una formación más adecuada de los presbíteros, los diáconos, los religiosos y las religiosas, los catequistas y otros agentes pastorales».[9] En las respuestas a las consultas enviadas a todo el mundo, se ha destacado que a los ministros ordenados les suele faltar formación adecuada para tratar los complejos problemas actuales de las familias. En este sentido, también puede ser útil la experiencia de la larga tradición oriental de los sacerdotes casados.

203. Los seminaristas deberían acceder a una formación interdisciplinaria más amplia sobre noviazgo y matrimonio, y no sólo en cuanto a la doctrina. Además, la formación no siempre les permite desplegar su mundo psicoafectivo. Algunos llevan sobre sus vidas la experiencia de su propia familia herida, con ausencia de padres y con inestabilidad emocional. Habrá que garantizar durante la formación una maduración para que los futuros ministros posean el equilibrio psíquico que su tarea les exige. Los vínculos familiares son fundamentales para fortalecer la sana autoestima de los seminaristas. Por ello es importante que las

---

[8] *Relación final* 2015, 77.

[9] *Ibíd.*, 61.

familias acompañen todo el proceso del seminario y del sacerdocio, ya que ayudan a fortalecerlo de un modo realista. En ese sentido, es saludable la combinación de algún tiempo de vida en el seminario con otro de vida en parroquias, que permita tomar mayor contacto con la realidad concreta de las familias. En efecto, a lo largo de su vida pastoral el sacerdote se encuentra sobre todo con familias. «La presencia de los laicos y de las familias, en particular la presencia femenina, en la formación sacerdotal, favorece el aprecio por la variedad y complementariedad de las diversas vocaciones en la Iglesia».[10]

204. Las respuestas a las consultas también expresan con insistencia la necesidad de la formación de agentes laicos de pastoral familiar con ayuda de psicopedagogos, médicos de familia, médicos comunitarios, asistentes sociales, abogados de minoridad y familia, con apertura a recibir los aportes de la psicología, la sociología, la sexología, e incluso el *counseling*. Los profesionales, en especial quienes tienen experiencia de acompañamiento, ayudan a encarnar las propuestas pastorales en las situaciones reales y en las inquietudes concretas de las familias. «Los caminos y cursos de formación destinados específicamente a los agentes de pastoral podrán hacerles idóneos para inserir

---

[10] *Ibíd.*

el mismo camino de preparación al matrimonio en la dinámica más amplia de la vida eclesial».[11] Una buena capacitación pastoral es importante «sobre todo a la vista de las situaciones particulares de emergencia derivadas de los casos de violencia doméstica y el abuso sexual».[12] Todo esto de ninguna manera disminuye, sino que complementa, el valor fundamental de la dirección espiritual, de los inestimables recursos espirituales de la Iglesia y de la Reconciliación sacramental.

Guiar a los prometidos en el camino de preparación al matrimonio

205. Los Padres sinodales han dicho de diversas maneras que necesitamos ayudar a los jóvenes a descubrir el valor y la riqueza del matrimonio.[13] Deben poder percibir el atractivo de una unión plena que eleva y perfecciona la dimensión social de la existencia, otorga a la sexualidad su mayor sentido, a la vez que promueve el bien de los hijos y les ofrece el mejor contexto para su maduración y educación.

206. «La compleja realidad social y los desafíos que la familia está llamada a afrontar hoy

---

[11] *Ibíd.*

[12] *Ibíd.*

[13] Cf. *Relatio Synodi* 2014, 26.

requieren un compromiso mayor de toda la comunidad cristiana en la preparación de los prometidos al matrimonio. Es preciso recordar la importancia de las virtudes. Entre estas, la castidad resulta condición preciosa para el crecimiento genuino del amor interpersonal. Respecto a esta necesidad, los Padres sinodales eran concordes en subrayar la exigencia de una mayor implicación de toda la comunidad, privilegiando el testimonio de las familias, además de un arraigo de la preparación al matrimonio en el camino de iniciación cristiana, haciendo hincapié en el nexo del matrimonio con el bautismo y los otros sacramentos. Del mismo modo, se puso de relieve la necesidad de programas específicos para la preparación próxima al matrimonio que sean una auténtica experiencia de participación en la vida eclesial y profundicen en los diversos aspectos de la vida familiar».[14]

207. Invito a las comunidades cristianas a reconocer que acompañar el camino de amor de los novios es un bien para ellas mismas. Como bien dijeron los Obispos de Italia, los que se casan son para su comunidad cristiana «un precioso recurso, porque, empeñándose con sinceridad para crecer en el amor y en el don recíproco, pueden contribuir a renovar el tejido mismo de todo el cuerpo eclesial: la particular forma de amistad que ellos

[14] *Ibíd.*, 39.

viven puede volverse contagiosa, y hacer crecer en la amistad y en la fraternidad a la comunidad cristiana de la cual forman parte».[15] Hay diversas maneras legítimas de organizar la preparación próxima al matrimonio, y cada Iglesia local discernirá lo que sea mejor, procurando una formación adecuada que al mismo tiempo no aleje a los jóvenes del sacramento. No se trata de darles todo el Catecismo ni de saturarlos con demasiados temas. Porque aquí también vale que «no el mucho saber harta y satisface al alma, sino el sentir y gustar de las cosas interiormente».[16] Interesa más la calidad que la cantidad, y hay que dar prioridad –junto con un renovado anuncio del *kerygma*– a aquellos contenidos que, comunicados de manera atractiva y cordial, les ayuden a comprometerse en un camino de toda la vida «con gran ánimo y liberalidad».[17] Se trata de una suerte de «iniciación» al sacramento del matrimonio que les aporte los elementos necesarios para poder recibirlo con las mejores disposiciones y comenzar con cierta solidez la vida familiar.

208. Conviene encontrar además las maneras, a través de las familias misioneras, de las

---

[15] Conferencia Episcopal Italiana. *Orientaciones pastorales sobre la preparación al matrimonio y a la familia* (22 octubre 2012), 1.

[16] Ignacio de Loyola, *Ejercicios Espirituales*, anotación 2.

[17] *Ibíd.*, anotación 5.

propias familias de los novios y de diversos recursos pastorales, de ofrecer una preparación remota que haga madurar el amor que se tienen, con un acompañamiento cercano y testimonial. Suelen ser muy útiles los grupos de novios y las ofertas de charlas opcionales sobre una variedad de temas que interesan realmente a los jóvenes. No obstante, son indispensables algunos momentos personalizados, porque el principal objetivo es ayudar a cada uno para que aprenda a amar a esta persona concreta con la que pretende compartir toda la vida. Aprender a amar a alguien no es algo que se improvisa ni puede ser el objetivo de un breve curso previo a la celebración del matrimonio. En realidad, cada persona se prepara para el matrimonio desde su nacimiento. Todo lo que su familia le aportó debería permitirle aprender de la propia historia y capacitarle para un compromiso pleno y definitivo. Probablemente quienes llegan mejor preparados al casamiento son quienes han aprendido de sus propios padres lo que es un matrimonio cristiano, donde ambos se han elegido sin condiciones, y siguen renovando esa decisión. En ese sentido, todas las acciones pastorales tendientes a ayudar a los matrimonios a crecer en el amor y a vivir el Evangelio en la familia, son una ayuda inestimable para que sus hijos se preparen para su futura vida matrimonial. Tampoco hay que olvidar los valiosos recursos de la pastoral popular.

Para dar un sencillo ejemplo, recuerdo el día de san Valentín, que en algunos países es mejor aprovechado por los comerciantes que por la creatividad de los pastores.

209. La preparación de los que ya formalizaron un noviazgo, cuando la comunidad parroquial logra acompañarlos con un buen tiempo de anticipación, también debe darles la posibilidad de reconocer incompatibilidades o riesgos. De este modo se puede llegar a advertir que no es razonable apostar por esa relación, para no exponerse a un fracaso previsible que tendrá consecuencias muy dolorosas. El problema es que el deslumbramiento inicial lleva a tratar de ocultar o de relativizar muchas cosas, se evita discrepar, y así sólo se patean las dificultades para adelante. Los novios deberían ser estimulados y ayudados para que puedan hablar de lo que cada uno espera de un eventual matrimonio, de su modo de entender lo que es el amor y el compromiso, de lo que se desea del otro, del tipo de vida en común que se quisiera proyectar. Estas conversaciones pueden ayudar a ver que en realidad los puntos de contacto son escasos, y que la mera atracción mutua no será suficiente para sostener la unión. Nada es más volátil, precario e imprevisible que el deseo, y nunca hay que alentar una decisión de contraer matrimonio si no se han

ahondado otras motivaciones que otorguen a ese compromiso posibilidades reales de estabilidad.

210. En todo caso, si se reconocen con claridad los puntos débiles del otro, es necesario que haya una confianza realista en la posibilidad de ayudarle a desarrollar lo mejor de su persona para contrarrestar el peso de sus fragilidades, con un firme interés en promoverlo como ser humano. Esto implica aceptar con sólida voluntad la posibilidad de afrontar algunas renuncias, momentos difíciles y situaciones conflictivas, y la decisión firme de prepararse para ello. Se deben detectar las señales de peligro que podría tener la relación, para encontrar antes del casamiento recursos que permitan afrontarlas con éxito. Lamentablemente, muchos llegan a las nupcias sin conocerse. Sólo se han distraído juntos, han hecho experiencias juntos, pero no han enfrentado el desafío de mostrarse a sí mismos y de aprender quién es en realidad el otro.

211. Tanto la preparación próxima como el acompañamiento más prolongado, deben asegurar que los novios no vean el casamiento como el final del camino, sino que asuman el matrimonio como una vocación que los lanza hacia adelante, con la firme y realista decisión de atravesar juntos todas las pruebas y momentos difíciles. La pastoral prematrimonial y la pastoral matrimonial deben

ser ante todo una pastoral del vínculo, donde se aporten elementos que ayuden tanto a madurar el amor como a superar los momentos duros. Estos aportes no son únicamente convicciones doctrinales, ni siquiera pueden reducirse a los preciosos recursos espirituales que siempre ofrece la Iglesia, sino que también deben ser caminos prácticos, consejos bien encarnados, tácticas tomadas de la experiencia, orientaciones psicológicas. Todo esto configura una pedagogía del amor que no puede ignorar la sensibilidad actual de los jóvenes, en orden a movilizarlos interiormente. A su vez, en la preparación de los novios, debe ser posible indicarles lugares y personas, consultorías o familias disponibles, donde puedan acudir en busca de ayuda cuando surjan dificultades. Pero nunca hay que olvidar la propuesta de la Reconciliación sacramental, que permite colocar los pecados y los errores de la vida pasada, y de la misma relación, bajo el influjo del perdón misericordioso de Dios y de su fuerza sanadora.

Preparación de la celebración

212. La preparación próxima al matrimonio tiende a concentrarse en las invitaciones, la vestimenta, la fiesta y los innumerables detalles que consumen tanto el presupuesto como las energías y la alegría. Los novios llegan agobiados y agotados

al casamiento, en lugar de dedicar las mejores fuerzas a prepararse como pareja para el gran paso que van a dar juntos. Esta mentalidad se refleja también en algunas uniones de hecho que nunca llegan al casamiento porque piensan en festejos demasiado costosos, en lugar de dar prioridad al amor mutuo y a su formalización ante los demás. Queridos novios: «Tengan la valentía de ser diferentes, no se dejen devorar por la sociedad del consumo y de la apariencia. Lo que importa es el amor que los une, fortalecido y santificado por la gracia. Ustedes son capaces de optar por un festejo austero y sencillo, para colocar el amor por encima de todo». Los agentes de pastoral y la comunidad entera pueden ayudar a que esta prioridad se convierta en lo normal y no en la excepción.

213. En la preparación más inmediata es importante iluminar a los novios para vivir con mucha hondura la celebración litúrgica, ayudándoles a percibir y vivir el sentido de cada gesto. Recordemos que un compromiso tan grande como el que expresa el consentimiento matrimonial, y la unión de los cuerpos que consuma el matrimonio, cuando se trata de dos bautizados, sólo pueden interpretarse como signos del amor del Hijo de Dios hecho carne y unido con su Iglesia en alianza de amor. En los bautizados, las palabras y los gestos se convierten en un lenguaje elocuente de la fe. El

cuerpo, con los significados que Dios ha querido infundirle al crearlo «se convierte en el lenguaje de los ministros del sacramento, conscientes de que en el pacto conyugal se manifiesta y se realiza el misterio».[18]

214. A veces, los novios no perciben el peso teológico y espiritual del consentimiento, que ilumina el significado de todos los gestos posteriores. Hace falta destacar que esas palabras no pueden ser reducidas al presente; implican una totalidad que incluye el futuro: «hasta que la muerte los separe». El sentido del consentimiento muestra que «libertad y fidelidad no se oponen, más bien se sostienen mutuamente, tanto en las relaciones interpersonales, como en las sociales. Efectivamente, pensemos en los daños que producen, en la civilización de la comunicación global, la inflación de promesas incumplidas [...] El honor de la palabra dada, la fidelidad a la promesa, no se pueden comprar ni vender. No se pueden imponer con la fuerza, pero tampoco custodiar sin sacrificio».[19]

215. Los obispos de Kenia advirtieron que, «demasiado centrados en el día de la boda, los futuros esposos se olvidan de que están preparándose

---

[18] Juan Pablo II, *Catequesis* (27 junio 1984), 4: *L'Osservatore Romano*, ed. semanal en lengua española, 1 de julio de 1984, p. 3.

[19] *Catequesis* (21 octubre 2015): *L'Osservatore Romano*, ed. semanal en lengua española, 23 de octubre de 2015, p. 16.

para un compromiso que dura toda la vida».[20] Hay que ayudar a advertir que el sacramento no es sólo un momento que luego pasa a formar parte del pasado y de los recuerdos, porque ejerce su influencia sobre toda la vida matrimonial, de manera permanente.[21] El significado procreativo de la sexualidad, el lenguaje del cuerpo y los gestos de amor vividos en la historia de un matrimonio, se convierten en una «ininterrumpida continuidad del lenguaje litúrgico» y «la vida conyugal viene a ser, en algún sentido, liturgia».[22]

216. También se puede meditar con las lecturas bíblicas y enriquecer la comprensión de los anillos que se intercambian, o de otros signos que formen parte del rito. Pero no sería bueno que se llegue al casamiento sin haber orado juntos, el uno por el otro, pidiendo ayuda a Dios para ser fieles y generosos, preguntándole juntos a Dios qué es lo que él espera de ellos, e incluso consagrando su amor ante una imagen de María. Quienes los acompañen en la preparación del matrimonio deberían orientarlos para que sepan vivir esos momentos de oración que pueden hacerles mucho

---

[20] Conferencia Episcopal de Kenia, *Mensaje de Cuaresma*, 18 febrero 2015.

[21] Cf. Pío XI, Carta enc. *Casti connubii* (31 diciembre 1930): *AAS* 22 (1930), 583.

[22] Juan Pablo II, *Catequesis* (4 julio 1984), 3.6: *L'Osservatore Romano*, ed. semanal en lengua española, 8 de julio de 1984, p. 3.

bien. «La liturgia nupcial es un evento único, que se vive en el contexto familiar y social de una fiesta. Jesús inició sus milagros en el banquete de bodas de Caná: el vino bueno del milagro del Señor, que anima el nacimiento de una nueva familia, es el vino nuevo de la Alianza de Cristo con los hombres y mujeres de todos los tiempos [...] Generalmente, el celebrante tiene la oportunidad de dirigirse a una asamblea compuesta de personas que participan poco en la vida eclesial o que pertenecen a otra confesión cristiana o comunidad religiosa. Por lo tanto, se trata de una ocasión imperdible para anunciar el Evangelio de Cristo».[23]

Acompañar en los primeros años de la vida matrimonial

217. Tenemos que reconocer como un gran valor que se comprenda que el matrimonio es una cuestión de amor, que sólo pueden casarse los que se eligen libremente y se aman. No obstante, cuando el amor se convierte en una mera atracción o en una afectividad difusa, esto hace que los cónyuges sufran una extraordinaria fragilidad cuando la afectividad entra en crisis o cuando la atracción física decae. Dado que estas confusiones son frecuentes, se vuelve imprescindible acompañar

[23] *Relación final* 2015, 59.

en los primeros años de la vida matrimonial para enriquecer y profundizar la decisión consciente y libre de pertenecerse y de amarse hasta el fin. Muchas veces, el tiempo de noviazgo no es suficiente, la decisión de casarse se precipita por diversas razones y, como si no bastara, la maduración de los jóvenes se ha retrasado. Entonces, los recién casados tienen que completar ese proceso que debería haberse realizado durante el noviazgo.

218. Por otra parte, quiero insistir en que un desafío de la pastoral matrimonial es ayudar a descubrir que el matrimonio no puede entenderse como algo acabado. La unión es real, es irrevocable, y ha sido confirmada y consagrada por el sacramento del matrimonio. Pero al unirse, los esposos se convierten en protagonistas, dueños de su historia y creadores de un proyecto que hay que llevar adelante juntos. La mirada se dirige al futuro que hay que construir día a día con la gracia de Dios y, por eso mismo, al cónyuge no se le exige que sea perfecto. Hay que dejar a un lado las ilusiones y aceptarlo como es: inacabado, llamado a crecer, en proceso. Cuando la mirada hacia el cónyuge es constantemente crítica, eso indica que no se ha asumido el matrimonio también como un proyecto de construir juntos, con paciencia, comprensión, tolerancia y generosidad. Esto lleva a que el amor sea sustituido poco a poco por una mirada

inquisidora e implacable, por el control de los méritos y derechos de cada uno, por los reclamos, la competencia y la autodefensa. Así se vuelven incapaces de hacerse cargo el uno del otro para la maduración de los dos y para el crecimiento de la unión. A los nuevos matrimonios hay que mostrarles esto con claridad realista desde el inicio, de manera que tomen conciencia de que «están comenzando». El sí que se dieron es el inicio de un itinerario, con un objetivo capaz de superar lo que planteen las circunstancias y los obstáculos que se interpongan. La bendición recibida es una gracia y un impulso para ese camino siempre abierto. Suele ayudar el que se sienten a dialogar para elaborar su proyecto concreto en sus objetivos, sus instrumentos, sus detalles.

219. Recuerdo un refrán que decía que el agua estancada se corrompe, se echa a perder. Es lo que pasa cuando esa vida del amor en los primeros años del matrimonio se estanca, deja de estar en movimiento, deja de tener esa inquietud que la empuja hacia delante. La danza hacia adelante con ese amor joven, la danza con esos ojos asombrados hacia la esperanza, no debe detenerse. En el noviazgo y en los primeros años del matrimonio la esperanza es la que lleva la fuerza de la levadura, la que hace mirar más allá de las contradicciones, de los conflictos, de las coyunturas, la que siempre

hace ver más allá. Es la que pone en marcha toda inquietud para mantenerse en un camino de crecimiento. La misma esperanza nos invita a vivir a pleno el presente, poniendo el corazón en la vida familiar, porque la mejor forma de preparar y consolidar el futuro es vivir bien el presente.

220. El camino implica pasar por distintas etapas que convocan a donarse con generosidad: del impacto inicial, caracterizado por una atracción marcadamente sensible, se pasa a la necesidad del otro percibido como parte de la propia vida. De allí se pasa al gusto de la pertenencia mutua, luego a la comprensión de la vida entera como un proyecto de los dos, a la capacidad de poner la felicidad del otro por encima de las propias necesidades, y al gozo de ver el propio matrimonio como un bien para la sociedad. La maduración del amor implica también aprender a «negociar». No es una actitud interesada o un juego de tipo comercial, sino en definitiva un ejercicio del amor mutuo, porque esta negociación es un entrelazado de recíprocas ofrendas y renuncias para el bien de la familia. En cada nueva etapa de la vida matrimonial hay que sentarse a volver a negociar los acuerdos, de manera que no haya ganadores y perdedores sino que los dos ganen. En el hogar las decisiones no se toman unilateralmente, y los dos comparten la responsabilidad por la familia, pero

cada hogar es único y cada síntesis matrimonial es diferente.

221. Una de las causas que llevan a rupturas matrimoniales es tener expectativas demasiado altas sobre la vida conyugal. Cuando se descubre la realidad, más limitada y desafiante que lo que se había soñado, la solución no es pensar rápida e irresponsablemente en la separación, sino asumir el matrimonio como un camino de maduración, donde cada uno de los cónyuges es un instrumento de Dios para hacer crecer al otro. Es posible el cambio, el crecimiento, el desarrollo de las potencialidades buenas que cada uno lleva en sí. Cada matrimonio es una «historia de salvación», y esto supone que se parte de una fragilidad que, gracias al don de Dios y a una respuesta creativa y generosa, va dando paso a una realidad cada vez más sólida y preciosa. Quizá la misión más grande de un hombre y una mujer en el amor sea esa, la de hacerse el uno al otro más hombre o más mujer. Hacer crecer es ayudar al otro a moldearse en su propia identidad. Por eso el amor es artesanal. Cuando uno lee el pasaje de la Biblia sobre la creación del hombre y de la mujer, ve que Dios primero plasma al hombre (cf. *Gn* 2, 7), después se da cuenta de que falta algo esencial y plasma a la mujer, y entonces escucha la sorpresa del varón: «¡Ah, ahora sí, esta sí!». Y luego, uno parece

escuchar ese hermoso diálogo donde el varón y la mujer se van descubriendo. Porque aun en los momentos difíciles el otro vuelve a sorprender y se abren nuevas puertas para el reencuentro, como si fuera la primera vez; y en cada nueva etapa se vuelven a "plasmarse" el uno al otro. El amor hace que uno espere al otro y ejercite esa paciencia propia del artesano que se heredó de Dios.

222. El acompañamiento debe alentar a los esposos a ser generosos en la comunicación de la vida. «De acuerdo con el carácter personal y humanamente completo del amor conyugal, el camino adecuado para la planificación familiar presupone un diálogo consensual entre los esposos, el respeto de los tiempos y la consideración de la dignidad de cada uno de los miembros de la pareja. En este sentido, es preciso redescubrir el mensaje de la Encíclica *Humanae vitae* (cf. 10-14) y la Exhortación apostólica *Familiaris consortio* (cf. 14; 28-35) para contrarrestar una mentalidad a menudo hostil a la vida [...] La elección responsable de la paternidad presupone la formación de la conciencia que es "el núcleo más secreto y el sagrario del hombre, en el que este se siente a solas con Dios, cuya voz resuena en el recinto más íntimo de aquella" (*Gaudium et spes*, 16). En la medida en que los esposos traten de escuchar más en su conciencia a Dios y sus mandamientos (cf. *Rm* 2, 15), y se hagan

acompañar espiritualmente, tanto más su decisión será íntimamente libre de un arbitrio subjetivo y del acomodamiento a los modos de comportarse en su ambiente».[24] Sigue en pie lo dicho con claridad en el Concilio Vaticano II: «Cumplirán su tarea [...] de común acuerdo y con un esfuerzo común, se formarán un recto juicio, atendiendo no sólo a su propio bien, sino también al bien de los hijos, ya nacidos o futuros, discerniendo las condiciones de los tiempos y del estado de vida, tanto materiales como espirituales, y, finalmente, teniendo en cuenta el bien de la comunidad familiar, de la sociedad temporal y de la propia Iglesia. En último término, son los mismos esposos los que deben formarse este juicio ante Dios».[25] Por otra parte, «se ha de promover el uso de los métodos basados en los "ritmos naturales de fecundidad" (*Humanae vitae*, 11). También se debe hacer ver que "estos métodos respetan el cuerpo de los esposos, fomentan el afecto entre ellos y favorecen la educación de una libertad auténtica" (*Catecismo de la Iglesia Católica,* 2370), insistiendo siempre en que los hijos son un maravilloso don de Dios, una alegría para los padres y para la Iglesia. A través de ellos el Señor renueva el mundo».[26]

---

[24] *Ibíd.*, 63.

[25] CONC. ECUM. VAT. II, Const. past. *Gaudium et spes*, sobre la Iglesia en el mundo actual, 50.

[26] *Relación final* 2015, 63.

Algunos recursos

223. Los Padres sinodales han indicado que «los primeros años de matrimonio son un período vital y delicado durante el cual los cónyuges crecen en la conciencia de los desafíos y del significado del matrimonio. De aquí la exigencia de un acompañamiento pastoral que continúe después de la celebración del sacramento (cf. *Familiaris consortio*, 3ª parte). Resulta de gran importancia en esta pastoral la presencia de esposos con experiencia. La parroquia se considera el lugar donde los cónyuges expertos pueden ofrecer su disponibilidad a ayudar a los más jóvenes, con el eventual apoyo de asociaciones, movimientos eclesiales y nuevas comunidades. Hay que alentar a los esposos a una actitud fundamental de acogida del gran don de los hijos. Es preciso resaltar la importancia de la espiritualidad familiar, de la oración y de la participación en la Eucaristía dominical, y alentar a los cónyuges a reunirse regularmente para que crezca la vida espiritual y la solidaridad en las exigencias concretas de la vida. Liturgias, prácticas de devoción y Eucaristías celebradas para las familias, sobre todo en el aniversario del matrimonio, se citaron como ocasiones vitales para favorecer la evangelización mediante la familia».[27]

---

[27] *Relatio Synodi* 2014, 40.

224. Este camino es una cuestión de tiempo. El amor necesita tiempo disponible y gratuito, que coloque otras cosas en un segundo lugar. Hace falta tiempo para dialogar, para abrazarse sin prisa, para compartir proyectos, para escucharse, para mirarse, para valorarse, para fortalecer la relación. A veces, el problema es el ritmo frenético de la sociedad, o los tiempos que imponen los compromisos laborales. Otras veces, el problema es que el tiempo que se pasa juntos no tiene calidad. Sólo compartimos un espacio físico pero sin prestarnos atención el uno al otro. Los agentes pastorales y los grupos matrimoniales deberían ayudar a los matrimonios jóvenes o frágiles a aprender a encontrarse en esos momentos, a detenerse el uno frente al otro, e incluso a compartir momentos de silencio que los obliguen a experimentar la presencia del cónyuge.

225. Los matrimonios que tienen una buena experiencia de aprendizaje en este sentido pueden aportar los recursos prácticos que les han sido de utilidad: la programación de los momentos para estar juntos gratuitamente, los tiempos de recreación con los hijos, las diversas maneras de celebrar cosas importantes, los espacios de espiritualidad compartida. Pero también pueden enseñar recursos que ayudan a llenar de contenido y de sentido esos momentos, para aprender a comunicarse

mejor. Esto es de suma importancia cuando se ha apagado la novedad del noviazgo. Porque, cuando no se sabe qué hacer con el tiempo compartido, uno u otro de los cónyuges terminará refugiándose en la tecnología, inventará otros compromisos, buscará otros brazos, o escapará de una intimidad incómoda.

226. A los matrimonios jóvenes también hay que estimularlos a crear una rutina propia, que brinda una sana sensación de estabilidad y de seguridad, y que se construye con una serie de rituales cotidianos compartidos. Es bueno darse siempre un beso por la mañana, bendecirse todas las noches, esperar al otro y recibirlo cuando llega, tener alguna salida juntos, compartir tareas domésticas. Pero al mismo tiempo es bueno cortar la rutina con la fiesta, no perder la capacidad de celebrar en familia, de alegrarse y de festejar las experiencias lindas. Necesitan sorprenderse juntos por los dones de Dios y alimentar juntos el entusiasmo por vivir. Cuando se sabe celebrar, esta capacidad renueva la energía del amor, lo libera de la monotonía, y llena de color y de esperanza la rutina diaria.

227. Los pastores debemos alentar a las familias a crecer en la fe. Para ello es bueno animar a la confesión frecuente, la dirección espiritual, la asistencia a retiros. Pero no hay que dejar de

invitar a crear espacios semanales de oración familiar, porque «la familia que reza unida permanece unida». A su vez, cuando visitemos los hogares, deberíamos convocar a todos los miembros de la familia a un momento para orar unos por otros y para poner la familia en las manos del Señor. Al mismo tiempo, conviene alentar a cada uno de los cónyuges a tener momentos de oración en soledad ante Dios, porque cada uno tiene sus cruces secretas. ¿Por qué no contarle a Dios lo que perturba al corazón, o pedirle la fuerza para sanar las propias heridas, e implorar las luces que se necesitan para poder mantener el propio compromiso? Los Padres sinodales también remarcaron que «la Palabra de Dios es fuente de vida y espiritualidad para la familia. Toda la pastoral familiar deberá dejarse modelar interiormente y formar a los miembros de la iglesia doméstica mediante la lectura orante y eclesial de la Sagrada Escritura. La Palabra de Dios no sólo es una buena nueva para la vida privada de las personas, sino también un criterio de juicio y una luz para el discernimiento de los diversos desafíos que deben afrontar los cónyuges y las familias».[28]

228. Es posible que uno de los dos cónyuges no sea bautizado, o que no quiera vivir los compromisos de la fe. En ese caso, el deseo del otro

---

[28] *Ibíd.*, 34.

de vivir y crecer como cristiano hace que la indiferencia de ese cónyuge sea vivida con dolor. No obstante, es posible encontrar algunos valores comunes que se puedan compartir y cultivar con entusiasmo. De todos modos, amar al cónyuge incrédulo, darle felicidad, aliviar sus sufrimientos y compartir la vida con él es un verdadero camino de santificación. Por otra parte, el amor es un don de Dios, y allí donde se derrama hace sentir su fuerza transformadora, de maneras a veces misteriosas, hasta el punto de que «el marido no creyente queda santificado por la mujer, y la mujer no creyente queda santifica por el marido creyente» (*1Co* 7, 14).

229. Las parroquias, los movimientos, las escuelas y otras instituciones de la Iglesia pueden desplegar diversas mediaciones para cuidar y reavivar a las familias. Por ejemplo, a través de recursos como: reuniones de matrimonios vecinos o amigos, retiros breves para matrimonios, charlas de especialistas sobre problemáticas muy concretas de la vida familiar, centros de asesoramiento matrimonial, agentes misioneros orientados a conversar con los matrimonios sobre sus dificultades y anhelos, consultorías sobre diferentes situaciones familiares (adicciones, infidelidad, violencia familiar), espacios de espiritualidad, talleres de formación para padres con hijos problemáticos, asambleas

familiares. La secretaría parroquial debería contar con la posibilidad de acoger con cordialidad y de atender las urgencias familiares, o de derivar fácilmente hacia quienes puedan ayudarles. También hay un apoyo pastoral que se da en los grupos de matrimonios, tanto de servicio o de misión, de oración, de formación, o de apoyo mutuo. Estos grupos brindan la ocasión de dar, de vivir la apertura de la familia a los demás, de compartir la fe, pero al mismo tiempo son un medio para fortalecer al matrimonio y hacerlo crecer.

230. Es verdad que muchos matrimonios desaparecen de la comunidad cristiana después del casamiento, pero muchas veces desperdiciamos algunas ocasiones en que vuelven a hacerse presentes, donde podríamos reproponerles de manera atractiva el ideal del matrimonio cristiano y acercarlos a espacios de acompañamiento: me refiero, por ejemplo, al bautismo de un hijo, a la primera comunión, o cuando participan de un funeral o del casamiento de un pariente o amigo. Casi todos los matrimonios reaparecen en esas ocasiones, que podrían ser mejor aprovechadas. Otro camino de acercamiento es la bendición de los hogares o la visita de una imagen de la Virgen, que dan la ocasión para desarrollar un diálogo pastoral acerca de la situación de la familia. También puede ser útil asignar a matrimonios más crecidos la tarea

de acompañar a matrimonios más recientes de su propio vecindario, para visitarlos, acompañarlos en sus comienzos y proponerles un camino de crecimiento. Con el ritmo de vida actual, la mayoría de los matrimonios no estarán dispuestos a reuniones frecuentes y no podemos reducirnos a una pastoral de pequeñas élites. Hoy, la pastoral familiar debe ser fundamentalmente misionera, en salida, en cercanía, en lugar de reducirse a ser una fábrica de cursos a los que pocos asisten.

Iluminar crisis, angustias y dificultades

231. Vaya una palabra a los que en el amor ya han añejado el vino nuevo del noviazgo. Cuando el vino se añeja con esta experiencia del camino, allí aparece, florece en toda su plenitud, la fidelidad de los pequeños momentos de la vida. Es la fidelidad de la espera y de la paciencia. Esa fidelidad llena de sacrificios y de gozos va como floreciendo en la edad en que todo se pone añejo y los ojos se ponen brillantes al contemplar los hijos de sus hijos. Así era desde el principio, pero eso ya se hizo consciente, asentado, madurado en la sorpresa cotidiana del redescubrimiento día tras día, año tras año. Como enseñaba san Juan de la Cruz, «los viejos amadores son los ya ejercitados y probados». Ellos «ya no tienen aquellos hervores sensitivos ni aquellas furias y fuegos hervorosos

por fuera, sino que gustan la suavidad del vino de amor ya bien cocido en su sustancia [...] asentado allá dentro en el alma».[29] Esto supone haber sido capaces de superar juntos las crisis y los tiempos de angustia, sin escapar de los desafíos ni esconder las dificultades.

El desafío de las crisis

232. La historia de una familia está surcada por crisis de todo tipo, que también son parte de su dramática belleza. Hay que ayudar a descubrir que una crisis superada no lleva a una relación con menor intensidad sino a mejorar, asentar y madurar el vino de la unión. No se convive para ser cada vez menos felices, sino para aprender a ser felices de un modo nuevo, a partir de las posibilidades que abre una nueva etapa. Cada crisis implica un aprendizaje que permite incrementar la intensidad de la vida compartida, o al menos encontrar un nuevo sentido a la experiencia matrimonial. De ningún modo hay que resignarse a una curva descendente, a un deterioro inevitable, a una soportable mediocridad. Al contrario, cuando el matrimonio se asume como una tarea, que implica también superar obstáculos, cada crisis se percibe como la ocasión para llegar a beber

---

[29] *Cántico Espiritual*, B, 25, 11.

juntos el mejor vino. Es bueno acompañar a los cónyuges para que puedan aceptar las crisis que lleguen, tomar el guante y hacerles un lugar en la vida familiar. Los matrimonios experimentados y formados deben estar dispuestos a acompañar a otros en este descubrimiento, de manera que las crisis no los asusten ni los lleven a tomar decisiones apresuradas. Cada crisis esconde una buena noticia que hay que saber escuchar afinando el oído del corazón.

233. La reacción inmediata es resistirse ante el desafío de una crisis, ponerse a la defensiva por sentir que escapa al propio control, porque muestra la insuficiencia de la propia manera de vivir, y eso incomoda. Entonces se usa el recurso de negar los problemas, esconderlos, relativizar su importancia, apostar sólo al paso del tiempo. Pero eso retarda la solución y lleva a consumir mucha energía en un ocultamiento inútil que complicará todavía más las cosas. Los vínculos se van deteriorando y se va consolidando un aislamiento que daña la intimidad. En una crisis no asumida, lo que más se perjudica es la comunicación. De ese modo, poco a poco, alguien que era «la persona que amo» pasa a ser «quien me acompaña siempre en la vida», luego sólo «el padre o la madre de mis hijos», y, al final, «un extraño».

234. Para enfrentar una crisis se necesita estar presentes. Es difícil, porque a veces las personas se aíslan para no manifestar lo que sienten, se arrinconan en el silencio mezquino y tramposo. En estos momentos es necesario crear espacios para comunicarse de corazón a corazón. El problema es que se vuelve más difícil comunicarse así en un momento de crisis si nunca se aprendió a hacerlo. Es todo un arte que se aprende en tiempos de calma, para ponerlo en práctica en los tiempos duros. Hay que ayudar a descubrir las causas más ocultas en los corazones de los cónyuges, y a enfrentarlas como un parto que pasará y dejará un nuevo tesoro. Pero las respuestas a las consultas realizadas remarcan que en situaciones difíciles o críticas la mayoría no acude al acompañamiento pastoral, ya que no lo siente comprensivo, cercano, realista, encarnado. Por eso, tratemos ahora de acercarnos a las crisis matrimoniales con una mirada que no ignore su carga de dolor y de angustia.

235. Hay crisis comunes que suelen ocurrir en todos los matrimonios, como la crisis de los comienzos, cuando hay que aprender a compatibilizar las diferencias y desprenderse de los padres; o la crisis de la llegada del hijo, con sus nuevos desafíos emocionales; la crisis de la crianza, que cambia los hábitos del matrimonio; la crisis de la adolescencia del hijo, que exige muchas energías, desestabiliza

a los padres y a veces los enfrenta entre sí; la crisis del «nido vacío», que obliga a la pareja a mirarse nuevamente a sí misma; la crisis que se origina en la vejez de los padres de los cónyuges, que reclaman más presencia, cuidados y decisiones difíciles. Son situaciones exigentes, que provocan miedos, sentimientos de culpa, depresiones o cansancios que pueden afectar gravemente a la unión.

236. A estas se suman las crisis personales que inciden en la pareja, relacionadas con dificultades económicas, laborales, afectivas, sociales, espirituales. Y se agregan circunstancias inesperadas que pueden alterar la vida familiar, y que exigen un camino de perdón y reconciliación. Al mismo tiempo que intenta dar el paso del perdón, cada uno tiene que preguntarse con serena humildad si no ha creado las condiciones para exponer al otro a cometer ciertos errores. Algunas familias sucumben cuando los cónyuges se culpan mutuamente, pero «la experiencia muestra que, con una ayuda adecuada y con la acción de reconciliación de la gracia, un gran porcentaje de crisis matrimoniales se superan de manera satisfactoria. Saber perdonar y sentirse perdonados es una experiencia fundamental en la vida familiar».[30] «El difícil arte de la reconciliación, que requiere del sostén de la gracia, necesita la generosa colaboración de

---

[30] *Relatio Synodi* 2014, 44.

familiares y amigos, y a veces incluso de ayuda externa y profesional».[31]

237. Se ha vuelto frecuente que, cuando uno siente que no recibe lo que desea, o que no se cumple lo que soñaba, eso parece ser suficiente para dar fin a un matrimonio. Así no habrá matrimonio que dure. A veces, para decidir que todo acabó basta una insatisfacción, una ausencia en un momento en que se necesitaba al otro, un orgullo herido o un temor difuso. Hay situaciones propias de la inevitable fragilidad humana, a las cuales se otorga una carga emotiva demasiado grande. Por ejemplo, la sensación de no ser completamente correspondido, los celos, las diferencias que surjan entre los dos, el atractivo que despiertan otras personas, los nuevos intereses que tienden a apoderarse del corazón, los cambios físicos del cónyuge, y tantas otras cosas que, más que atentados contra el amor, son oportunidades que invitan a recrearlo una vez más.

238. En esas circunstancias, algunos tienen la madurez necesaria para volver a elegir al otro como compañero de camino, más allá de los límites de la relación, y aceptan con realismo que no pueda satisfacer todos los sueños acariciados. Evitan considerarse los únicos mártires, valoran las pequeñas o

---

[31] *Relación final* 2015, 81.

limitadas posibilidades que les da la vida en familia y apuestan por fortalecer el vínculo en una construcción que llevará tiempo y esfuerzo. Porque en el fondo reconocen que cada crisis es como un nuevo «sí» que hace posible que el amor renazca fortalecido, transfigurado, madurado, iluminado. A partir de una crisis se tiene la valentía de buscar las raíces profundas de lo que está ocurriendo, de volver a negociar los acuerdos básicos, de encontrar un nuevo equilibrio y de caminar juntos una etapa nueva. Con esta actitud de constante apertura se pueden afrontar muchas situciones difíciles. De todos modos, reconociendo que la reconciliación es posible, hoy descubrimos que «un ministerio dedicado a aquellos cuya relación matrimonial se ha roto parece particularmente urgente».[32]

Viejas heridas

239. Es comprensible que en las familias haya muchas crisis cuando alguno de sus miembros no ha madurado su manera de relacionarse, porque no ha sanado heridas de alguna etapa de su vida. La propia infancia o la propia adolescencia mal vividas son caldo de cultivo para crisis personales que terminan afectando al matrimonio. Si todos

---

[32] *Ibíd.*, 78.

fueran personas que han madurado normalmente, las crisis serían menos frecuentes o menos dolorosas. Pero el hecho es que a veces las personas necesitan realizar a los cuarenta años una maduración atrasada que debería haberse logrado al final de la adolescencia. A veces se ama con un amor egocéntrico propio del niño, fijado en una etapa donde la realidad se distorsiona y se vive el capricho de que todo gire en torno al propio yo. Es un amor insaciable, que grita o llora cuando no tiene lo que desea. Otras veces se ama con un amor fijado en una etapa adolescente, marcado por la confrontación, la crítica ácida, el hábito de culpar a los otros, la lógica del sentimiento y de la fantasía, donde los demás deben llenar los propios vacíos o seguir los propios caprichos.

240. Muchos terminan su niñez sin haber sentido jamás que son amados incondicionalmente, y eso lastima su capacidad de confiar y de entregarse. Una relación mal vivida con los propios padres y hermanos, que nunca ha sido sanada, reaparece y daña la vida conyugal. Entonces hay que hacer un proceso de liberación que jamás se enfrentó. Cuando la relación entre los cónyuges no funciona bien, antes de tomar decisiones importantes conviene asegurarse de que cada uno haya hecho ese camino de curación de la propia historia. Eso exige reconocer la necesidad de sanar, pedir con

insistencia la gracia de perdonar y de perdonarse, aceptar ayuda, buscar motivaciones positivas y volver a intentarlo una y otra vez. Cada uno tiene que ser muy sincero consigo mismo para reconocer que su modo de vivir el amor tiene estas inmadureces. Por más que parezca evidente que toda la culpa es del otro, nunca es posible superar una crisis esperando que sólo cambie el otro. También hay que preguntarse por las cosas que uno mismo podría madurar o sanar para favorecer la superación del conflicto.

Acompañar después de rupturas y divorcios

241. En algunos casos, la valoración de la dignidad propia y del bien de los hijos exige poner un límite firme a las pretensiones excesivas del otro, a una gran injusticia, a la violencia o a una falta de respeto que se ha vuelto crónica. Hay que reconocer que «hay casos donde la separación es inevitable. A veces puede llegar a ser incluso moralmente necesaria, cuando precisamente se trata de sustraer al cónyuge más débil, o a los hijos pequeños, de las heridas más graves causadas por la prepotencia y la violencia, el desaliento y la explotación, la ajenidad y la indiferencia».[33] Pero «debe considerarse como un remedio extremo,

[33] *Catequesis* (24 junio 2015): *L'Osservatore Romano*, ed. semanal en lengua española, 26 de junio de 2015, p. 16.

después de que cualquier intento razonable haya sido inútil».[34]

242. Los Padres indicaron que «un discernimiento particular es indispensable para acompañar pastoralmente a los separados, los divorciados, los abandonados. Hay que acoger y valorar especialmente el dolor de quienes han sufrido injustamente la separación, el divorcio o el abandono, o bien, se han visto obligados a romper la convivencia por los maltratos del cónyuge. El perdón por la injusticia sufrida no es fácil, pero es un camino que la gracia hace posible. De aquí la necesidad de una pastoral de la reconciliación y de la mediación, a través de centros de escucha especializados que habría que establecer en las diócesis».[35] Al mismo tiempo, «hay que alentar a las personas divorciadas que no se han vuelto a casar —que a menudo son testigos de la fidelidad matrimonial— a encontrar en la Eucaristía el alimento que las sostenga en su estado. La comunidad local y los pastores deben acompañar a estas personas con solicitud, sobre todo cuando hay hijos o su situación de pobreza es grave».[36] Un fracaso familiar se vuelve mucho más traumático y doloroso cuando

---

[34] Juan Pablo II, Exhort. ap. *Familiaris Consortio* (22 noviembre 1981), 83: *AAS* 74 (1982), 184.

[35] *Relatio Synodi* 2014, 47.

[36] *Ibíd.*, 50.

hay pobreza, porque hay muchos menos recursos para reorientar la existencia. Una persona pobre que pierde el ámbito de la tutela de la familia queda doblemente expuesta al abandono y a todo tipo de riesgos para su integridad.

243. A las personas divorciadas que viven en nueva unión, es importante hacerles sentir que son parte de la Iglesia, que «no están excomulgadas» y no son tratadas como tales, porque siempre integran la comunión eclesial.[37] Estas situaciones «exigen un atento discernimiento y un acompañamiento con gran respeto, evitando todo lenguaje y actitud que las haga sentir discriminadas, y promoviendo su participación en la vida de la comunidad. Para la comunidad cristiana, hacerse cargo de ellos no implica un debilitamiento de su fe y de su testimonio acerca de la indisolubilidad matrimonial, es más, en ese cuidado expresa precisamente su caridad».[38]

244. Por otra parte, un gran número de Padres «subrayó la necesidad de hacer más accesibles y ágiles, posiblemente totalmente gratuitos, los procedimientos para el reconocimiento de los casos de nulidad».[39] La lentitud de los procesos irrita

---

[37] Cf. *Catequesis* (5 agosto 2015): *L'Osservatore Romano*, ed. semanal en lengua española, 7-14 de agosto de 2015, p. 2.

[38] *Relatio Synodi* 2014, 51; cf. *Relación final* 2015, 84.

[39] *Ibíd.*, 48.

y cansa a la gente. Mis dos recientes documentos sobre esta materia[40] han llevado a una simplificación de los procedimientos para una eventual declaración de nulidad matrimonial. A través de ellos también he querido «hacer evidente que el mismo Obispo en su Iglesia, de la que es constituido pastor y cabeza, es por eso mismo juez entre los fieles que se le han confiado».[41] Por ello, «la aplicación de estos documentos es una gran responsabilidad para los Ordinarios diocesanos, llamados a juzgar ellos mismos algunas causas y a garantizar, en todos los modos, un acceso más fácil de los fieles a la justicia. Esto implica la preparación de un número suficiente de personal, integrado por clérigos y laicos, que se dedique de modo prioritario a este servicio eclesial. Por lo tanto, será, necesario poner a disposición de las personas separadas o de las parejas en crisis un servicio de información, consejo y mediación, vinculado a la pastoral familiar, que también podrá acoger a las personas en vista de la investigación preliminar del proceso matrimonial (cf. *Mitis Iudex Dominus Iesus*, art. 2-3)».[42]

[40] Cf. Motu proprio *Mitis Iudex Dominus Iesus* (15 agosto 2015): *L'Osservatore Romano,* 9 de septiembre de 2015, pp. 3-4; Motu proprio *Mitis et Misericors Iesus* (15 agosto 2015), preámbulo, 3, 1: *ibíd.*, pp. 5-6.

[41] Motu proprio *Mitis Iudex Dominus Iesus* (15 agosto 2015), preámbulo, 3: *L'Osservatore Romano*, 9 de septiembre de 2015, p. 3.

[42] *Relación final* 2015, 82.

245. Los Padres sinodales también han destacado «las consecuencias de la separación o del divorcio sobre los hijos, en cualquier caso víctimas inocentes de la situación».[43] Por encima de todas las consideraciones que quieran hacerse, ellos son la primera preocupación, que no debe ser opacada por cualquier otro interés u objetivo. A los padres separados les ruego: «Jamás, jamás, jamás tomar el hijo como rehén. Se han separado por muchas dificultades y motivos, la vida les ha dado esta prueba, pero que no sean los hijos quienes carguen el peso de esta separación, que no sean usados como rehenes contra el otro cónyuge. Que crezcan escuchando que la mamá habla bien del papá, aunque no estén juntos, y que el papá habla bien de la mamá».[44] Es una irresponsabilidad dañar la imagen del padre o de la madre con el objeto de acaparar el afecto del hijo, para vengarse o para defenderse, porque eso afectará a la vida interior de ese niño y provocará heridas difíciles de sanar.

246. La Iglesia, aunque comprende las situaciones conflictivas que deben atravesar los matrimonios, no puede dejar de ser voz de los más frágiles, que son los hijos que sufren, muchas veces en silencio. Hoy, «a pesar de nuestra sensibilidad

[43] *Relatio Synodi* 2014, 47.

[44] *Catequesis* (20 mayo 2015): *L'Osservatore Romano*, ed. semanal en lengua española, 22 de mayo de 2015, p. 16.

aparentemente evolucionada, y todos nuestros refinados análisis psicológicos, me pregunto si no nos hemos anestesiado también respecto a las heridas del alma de los niños [...] ¿Sentimos el peso de la montaña que aplasta el alma de un niño, en las familias donde se trata mal y se hace el mal, hasta romper el vínculo de la fidelidad conyugal?».[45] Estas malas experiencias no ayudan a que esos niños maduren para ser capaces de compromisos definitivos. Por esto, las comunidades cristianas no deben dejar solos a los padres divorciados en nueva unión. Al contrario, deben incluirlos y acompañarlos en su función educativa. Porque, «¿cómo podremos recomendar a estos padres que hagan todo lo posible para educar a sus hijos en la vida cristiana, dándoles el ejemplo de una fe convencida y practicada, si los tuviésemos alejados de la vida en comunidad, como si estuviesen excomulgados? Se debe obrar de tal forma que no se sumen otros pesos además de los que los hijos, en estas situaciones, ya tienen que cargar».[46] Ayudar a sanar las heridas de los padres y ayudarlos espiritualmente, es un bien también para los hijos, quienes necesitan el rostro familiar de la Iglesia que los apoye en esta experiencia traumática. El divorcio

[45] *Catequesis* (24 junio 2015): *L'Osservatore Romano,* ed. semanal en lengua española, 26 de junio de 2015, p. 16.

[46] *Catequesis* (5 agosto 2015): *L'Osservatore Romano,* ed. semanal en lengua española, 7-14 de agosto de 2015, p. 2.

es un mal, y es muy preocupante el crecimiento del número de divorcios. Por eso, sin duda, nuestra tarea pastoral más importante con respecto a las familias, es fortalecer el amor y ayudar a sanar las heridas, de manera que podamos prevenir el avance de este drama de nuestra época.

Algunas situaciones complejas

247. «Las problemáticas relacionadas con los matrimonios mixtos requieren una atención específica. Los matrimonios entre católicos y otros bautizados "presentan, aun en su particular fisonomía, numerosos elementos que es necesario valorar y desarrollar, tanto por su valor intrínseco, como por la aportación que pueden dar al movimiento ecuménico". A tal fin, "se debe buscar [...] una colaboración cordial entre el ministro católico y el no católico, desde el tiempo de la preparación al matrimonio y a la boda" (*Familiaris consortio*, 78). Acerca de la participación eucarística, se recuerda que "la decisión de permitir o no al contrayente no católico la comunión eucarística debe ser tomada de acuerdo con las normas vigentes en la materia, tanto para los cristianos de Oriente como para los otros cristianos, y teniendo en cuenta esta situación especial, es decir, que reciben el sacramento del matrimonio dos cristianos bautizados. Aunque los cónyuges de un matrimonio mixto

tienen en común los sacramentos del bautismo y el matrimonio, compartir la Eucaristía sólo puede ser excepcional y, en todo caso, deben observarse las disposiciones establecidas" (Consejo Pontificio para la Promoción de la Unidad de los Cristianos, *Directorio para la aplicación de los principios y normas sobre el ecumenismo*, 25 marzo 1993, 159-160)».[47]

248. «Los matrimonios con disparidad de culto constituyen un lugar privilegiado de diálogo interreligioso [...] Comportan algunas dificultades especiales, sea en lo relativo a la identidad cristiana de la familia, como a la educación religiosa de los hijos [...] El número de familias compuestas por uniones conyugales con disparidad de culto, en aumento en los territorios de misión, e incluso en países de larga tradición cristiana, requiere urgentemente una atención pastoral diferenciada en función de los diversos contextos sociales y culturales. En algunos países, donde no existe la libertad de religión, el cónyuge cristiano es obligado a cambiar de religión para poder casarse, y no puede celebrar el matrimonio canónico con disparidad de culto ni bautizar a los hijos. Por lo tanto, debemos reafirmar la necesidad de que la libertad religiosa sea respetada para todos».[48] «Se debe prestar especial atención a las personas que se unen en este

---

[47] *Relación final* 2015, 72.

[48] *Ibíd.*, 73.

tipo de matrimonios, no sólo en el período previo a la boda. Desafíos peculiares enfrentan las parejas y las familias en las que uno de los cónyuges es católico y el otro un no-creyente. En estos casos es necesario testimoniar la capacidad del Evangelio de sumergirse en estas situaciones para hacer posible la educación en la fe cristiana de los hijos».[49]

249. «Las situaciones referidas al acceso al bautismo de personas que están en una condición matrimonial compleja presentan dificultades particulares. Se trata de personas que contrajeron una unión matrimonial estable en un momento en que al menos uno de ellos aún no conocía la fe cristiana. Los obispos están llamados a ejercer, en estos casos, un discernimiento pastoral acorde con el bien espiritual de ellos».[50]

250. La Iglesia hace suyo el comportamiento del Señor Jesús que en un amor ilimitado se ofrece a todas las personas sin excepción.[51] Con los Padres sinodales, he tomado en consideración la situación de las familias que viven la experiencia de tener en su seno a personas con tendencias homosexuales, una experiencia nada fácil ni para los padres ni para sus hijos. Por eso, deseamos ante

[49] *Ibíd.*, 74.

[50] *Ibíd.*, 75.

[51] Cf. Bula *Misericordiae vultus* (11 abril 2015), 12: *AAS* 107 (2015), 407.

todo reiterar que toda persona, independientemente de su tendencia sexual, ha de ser respetada en su dignidad y acogida con respeto, procurando evitar «todo signo de discriminación injusta»,[52] y particularmente cualquier forma de agresión y violencia. Por lo que se refiere a las familias, se trata por su parte de asegurar un respetuoso acompañamiento, con el fin de que aquellos que manifiestan una tendencia homosexual puedan contar con la ayuda necesaria para comprender y realizar plenamente la voluntad de Dios en su vida.[53]

251. En el curso del debate sobre la dignidad y la misión de la familia, los Padres sinodales han hecho notar que los proyectos de equiparación de las uniones entre personas homosexuales con el matrimonio, «no existe ningún fundamento para asimilar o establecer analogías, ni siquiera remotas, entre las uniones homosexuales y el designio de Dios sobre el matrimonio y la familia [...] Es inaceptable que las iglesias locales sufran presiones en esta materia y que los organismos internacionales condicionen la ayuda financiera a los países

[52] *Catecismo de la Iglesia Católica*, 2358; cf. *Relación final* 2015, 76.
[53] Cf. *Catecismo de la Iglesia Católica*, 2358.

pobres a la introducción de leyes que instituyan el "matrimonio" entre personas del mismo sexo».[54]

252. Las familias monoparentales tienen con frecuencia origen a partir de «madres o padres biológicos que nunca han querido integrarse en la vida familiar, las situaciones de violencia en las cuales uno de los progenitores se ve obligado a huir con sus hijos, la muerte o el abandono de la familia por uno de los padres, y otras situaciones. Cualquiera que sea la causa, el progenitor que vive con el niño debe encontrar apoyo y consuelo entre las familias que conforman la comunidad cristiana, así como en los órganos pastorales de las parroquias. Además, estas familias soportan a menudo otras problemáticas, como las dificultades económicas, la incertidumbre del trabajo precario, la dificultad para la manutención de los hijos, la falta de una vivienda».[55]

Cuando la muerte clava su aguijón

253. A veces la vida familiar se ve desafiada por la muerte de un ser querido. No podemos dejar de ofrecer la luz de la fe para acompañar a las

[54] *Relación final* 2015, 76; cf. Congregación para la Doctrina de la Fe, *Consideraciones acerca de los proyectos de reconocimiento legal de las uniones entre personas homosexuales* (3 junio 2003), 4.

[55] *Relación final* 2015, 80.

familias que sufren en esos momentos.[56] Abandonar a una familia cuando la lastima una muerte sería una falta de misericordia, perder una oportunidad pastoral, y esa actitud puede cerrarnos las puertas para cualquier otra acción evangelizadora.

254. Comprendo la angustia de quien ha perdido una persona muy amada, un cónyuge con quien ha compartido tantas cosas. Jesús mismo se conmovió y se echó a llorar en el velatorio de un amigo (cf. *Jn* 11, 33.35). ¿Y cómo no comprender el lamento de quien ha perdido un hijo? Porque «es como si se detuviese el tiempo: se abre un abismo que traga el pasado y también el futuro [...] Y a veces se llega incluso a culpar a Dios. Cuánta gente —los comprendo— se enfada con Dios».[57] «La viudez es una experiencia particularmente difícil [...] Algunos, cuando les toca vivir esta experiencia, muestran que saben volcar sus energías todavía con más entrega en los hijos y los nietos, y encuentran en esta experiencia de amor una nueva misión educativa [...] A quienes no cuentan con la presencia de familiares a los que dedicarse y de los cuales recibir afecto y cercanía, la comunidad cristiana debe sostenerlos con

---

[56] Cf. *ibíd.*, 20.

[57] *Catequesis* (17 junio 2015): *L'Osservatore Romano*, ed. semanal en lengua española, 19 de junio de 2015, p. 16.

particular atención y disponibilidad, sobre todo si se encuentran en condiciones de indigencia».[58]

255. En general, el duelo por los difuntos puede llevar bastante tiempo, y cuando un pastor quiere acompañar ese proceso, tiene que adaptarse a las necesidades de cada una de sus etapas. Todo el proceso está surcado por preguntas, sobre las causas de la muerte, sobre lo que se podría haber hecho, sobre lo que vive una persona en el momento previo a la muerte. Con un camino sincero y paciente de oración y de liberación interior, vuelve la paz. En algún momento del duelo hay que ayudar a descubrir que quienes hemos perdido un ser querido todavía tenemos una misión que cumplir, y que no nos hace bien querer prolongar el sufrimiento, como si eso fuera un homenaje. La persona amada no necesita nuestro sufrimiento ni le resulta halagador que arruinemos nuestras vidas. Tampoco es la mejor expresión de amor recordarla y nombrarla a cada rato, porque es estar pendientes de un pasado que ya no existe, en lugar de amar a ese ser real que ahora está en el más allá. Su presencia física ya no es posible, pero si la muerte es algo potente, «es fuerte el amor como la muerte» (Ct 8, 6). El amor tiene una intuición que le permite escuchar sin sonidos y ver en lo invisible. Eso no es imaginar al ser querido tal como

[58] *Relación final* 2015, 19.

era, sino poder aceptarlo transformado, como es ahora. Jesús resucitado, cuando su amiga María quiso abrazarlo con fuerza, le pidió que no lo tocara (cf. *Jn* 20, 17), para llevarla a un encuentro diferente.

256. Nos consuela saber que no existe la destrucción completa de los que mueren, y la fe nos asegura que el Resucitado nunca nos abandonará. Así podemos impedir que la muerte «envenene nuestra vida, que haga vanos nuestros afectos, que nos haga caer en el vacío más oscuro».[59] La Biblia habla de un Dios que nos creó por amor, y que nos ha hecho de tal manera que nuestra vida no termina con la muerte (cf. *Sb* 3, 2-3). San Pablo se refiere a un encuentro con Cristo inmediatamente después de la muerte: «Deseo partir para estar con Cristo» (*Flp* 1, 23). Con él, después de la muerte nos espera «lo que Dios ha preparado para los que lo aman» (*1Co* 2, 9). El prefacio de la Liturgia de los difuntos expresa bellamente: «Aunque la certeza de morir nos entristece, nos consuela la promesa de la futura inmortalidad. Porque la vida de los que en ti creemos, Señor, no termina, se transforma». Porque «nuestros seres queridos no han desaparecido en la oscuridad de la nada: la

---

[59] *Catequesis* (17 junio 2015): *L'Osservatore Romano*, ed. semanal en lengua española, 19 de junio de 2015, p. 16.

esperanza nos asegura que ellos están en las manos buenas y fuertes de Dios».[60]

257. Una manera de comunicarnos con los seres queridos que murieron es orar por ellos.[61] Dice la Biblia que «rogar por los difuntos» es «santo y piadoso» (2M 12, 44-45). Orar por ellos «puede no solamente ayudarles, sino también hacer eficaz su intercesión en nuestro favor».[62] El *Apocalipsis* presenta a los mártires intercediendo por los que sufren la injusticia en la tierra (cf. *Ap* 6, 9-11), solidarios con este mundo en camino. Algunos santos, antes de morir, consolaban a sus seres queridos prometiéndoles que estarían cerca ayudándoles. Santa Teresa de Lisieux sentía el deseo de seguir haciendo el bien desde el cielo.[63] Santo Domingo afirmaba que «sería más útil después de muerto [...] Más poderoso en obtener gracias».[64] Son lazos de amor,[65] porque «la

---

[60] *Ibíd.*

[61] Cf. *Catecismo de la Iglesia Católica*, 958.

[62] *Ibíd.*

[63] Cf. *Últimas Conversaciones*: El «Cuaderno Amarillo» de la Madre Inés (17 julio 1897): *Obras Completas*, Burgos 1996, 826. A este respecto, es significativo el testimonio de las Hermanas del convento sobre la promesa de santa Teresa de que su salida de este mundo sería «como una lluvia de rosas» (*ibíd.*, 9 junio, 991).

[64] Jordán de Sajonia, *Libellus de principiis Ordinis predicatorum*, 93: *Monumenta Historica Sancti Patris Nostri Dominici*, XVI, Roma 1935, p. 69.

[65] Cf. *Catecismo de la Iglesia Católica*, 957.

unión de los miembros de la Iglesia peregrina con los hermanos que durmieron en la paz de Cristo de ninguna manera se interrumpe [...] Se refuerza con la comunicación de los bienes espirituales».[66]

258. Si aceptamos la muerte podemos prepararnos para ella. El camino es crecer en el amor hacia los que caminan con nosotros, hasta el día en que «ya no habrá muerte, ni duelo, ni llanto ni dolor» (*Ap* 21, 4). De ese modo, también nos prepararemos para reencontrar a los seres queridos que murieron. Así como Jesús entregó el hijo que había muerto a su madre (cf. *Lc* 7, 15), lo mismo hará con nosotros. No desgastemos energías quedándonos años y años en el pasado. Mientras mejor vivamos en esta tierra, más felicidad podremos compartir con los seres queridos en el cielo. Mientras más logremos madurar y crecer, más cosas lindas podremos llevarles para el banquete celestial.

---

[66] CONC. ECUM. VAT. II, Const. dogm. *Lumen gentium*, sobre la Iglesia, 49.

CAPÍTULO SÉPTIMO

FORTALECER LA EDUCACIÓN DE LOS HIJOS

259. Los padres siempre inciden en el desarrollo moral de sus hijos, para bien o para mal. Por consiguiente, lo más adecuado es que acepten esta función inevitable y la realicen de un modo consciente, entusiasta, razonable y apropiado. Ya que esta función educativa de las familias es tan importante y se ha vuelto muy compleja, quiero detenerme especialmente en este punto.

¿Dónde están los hijos?

260. La familia no puede renunciar a ser lugar de sostén, de acompañamiento, de guía, aunque deba reinventar sus métodos y encontrar nuevos recursos. Necesita plantearse a qué quiere exponer a sus hijos. Para ello, no se debe dejar de preguntarse quiénes se ocupan de darles diversión y entretenimiento, quiénes entran en sus habitaciones a través de las pantallas, a quiénes los entregan para que los guíen en su tiempo libre. Sólo los momentos que pasamos con ellos, hablando con sencillez y cariño de las cosas importantes,

y las posibilidades sanas que creamos para que ellos ocupen su tiempo, permitirán evitar una nociva invasión. Siempre hace falta una vigilancia. El abandono nunca es sano. Los padres deben orientar y prevenir a los niños y adolescentes para que sepan enfrentar situaciones donde pueda haber riesgos, por ejemplo, de agresiones, de abuso o de drogadicción.

261. Pero la obsesión no es educativa, y no se puede tener un control de todas las situaciones por las que podría llegar a pasar un hijo. Aquí vale el principio de que «el tiempo es superior al espacio».[1] Es decir, se trata de generar procesos más que de dominar espacios. Si un padre está obsesionado por saber dónde está su hijo y por controlar todos sus movimientos, sólo buscará dominar su espacio. De ese modo no lo educará, no lo fortalecerá, no lo preparará para enfrentar los desafíos. Lo que interesa, sobre todo, es generar en el hijo, con mucho amor, procesos de maduración de su libertad, de capacitación, de crecimiento integral, de cultivo de la auténtica autonomía. Sólo así ese hijo tendrá en sí mismo los elementos que necesita para saber defenderse y para actuar con inteligencia y astucia en circunstancias difíciles. Entonces la gran cuestión no es dónde está el hijo físicamente,

---

[1] Exhort. ap. *Evangelii gaudium* (24 noviembre 2013), 222: *AAS* 105 (2013), 1111.

con quién está en este momento, sino dónde está en un sentido existencial, dónde está posicionado desde el punto de vista de sus convicciones, de sus objetivos, de sus deseos, de su proyecto de vida. Por eso, las preguntas que hago a los padres son: «¿Intentamos comprender "dónde" están los hijos realmente en su camino? ¿Dónde está realmente su alma, lo sabemos? Y, sobre todo, ¿queremos saberlo?».[2]

262. Si la madurez fuera sólo el desarrollo de algo ya contenido en el código genético, no habría mucho que hacer. La prudencia, el buen juicio y la sensatez no dependen de factores meramente cuantitativos de crecimiento, sino de toda una cadena de elementos que se sintetizan en el interior de la persona; para ser más exactos, en el centro de su libertad. Es inevitable que cada hijo nos sorprenda con los proyectos que broten de esa libertad, que nos rompa los esquemas, y es bueno que eso suceda. La educación entraña la tarea de promover libertades responsables, que opten en las encrucijadas con sentido e inteligencia; personas que comprendan sin recortes que su vida y la de su comunidad está en sus manos y que esa libertad es un don inmenso.

---

[2] *Catequesis* (20 mayo 2015): *L'Osservatore Romano*, ed. semanal en lengua española, 22 de mayo de 2015, p. 16.

263. Aunque los padres necesitan de la escuela para asegurar una instrucción básica de sus hijos, nunca pueden delegar completamente su formación moral. El desarrollo afectivo y ético de una persona requiere de una experiencia fundamental: creer que los propios padres son dignos de confianza. Esto constituye una responsabilidad educativa: generar confianza en los hijos con el afecto y el testimonio, inspirar en ellos un amoroso respeto. Cuando un hijo ya no siente que es valioso para sus padres, aunque sea imperfecto, o no percibe que ellos tienen una preocupación sincera por él, eso crea heridas profundas que originan muchas dificultades en su maduración. Esa ausencia, ese abandono afectivo, provoca un dolor más íntimo que una eventual corrección que reciba por una mala acción.

264. La tarea de los padres incluye una educación de la voluntad y un desarrollo de hábitos buenos e inclinaciones afectivas a favor del bien. Esto implica que se presenten como deseables comportamientos a aprender e inclinaciones a desarrollar. Pero siempre se trata de un proceso que va de lo imperfecto a lo más pleno. El deseo de adaptarse a la sociedad, o el hábito de renunciar a una satisfacción inmediata para adaptarse a una norma y asegurarse una buena convivencia, es ya

en sí mismo un valor inicial que crea disposiciones para trascender luego hacia valores más altos. La formación moral debería realizarse siempre con métodos activos y con un diálogo educativo que incorpore la sensibilidad y el lenguaje propio de los hijos. Además, esta formación debe realizarse de modo inductivo, de tal manera que el hijo pueda llegar a descubrir por sí mismo la importancia de determinados valores, principios y normas, en lugar de imponérselos como verdades irrefutables.

265. Para obrar bien no basta «juzgar adecuadamente» o saber con claridad qué se debe hacer —aunque esto sea prioritario—. Muchas veces somos incoherentes con nuestras propias convicciones, aun cuando sean sólidas. Por más que la conciencia nos dicte determinado juicio moral, en ocasiones tienen más poder otras cosas que nos atraen, si no hemos logrado que el bien captado por la mente se arraigue en nosotros como profunda inclinación afectiva, como un gusto por el bien que pese más que otros atractivos, y que nos lleve a percibir que eso que captamos como bueno lo es también «para nosotros» aquí y ahora. Una formación ética eficaz implica mostrarle a la persona hasta qué punto le conviene a ella misma obrar bien. Hoy suele ser ineficaz pedir algo que exige esfuerzo y renuncias, sin mostrar claramente el bien que se puede alcanzar con eso.

266. Es necesario desarrollar hábitos. También las costumbres adquiridas desde niños tienen una función positiva, ayudando a que los grandes valores interiorizados se traduzcan en comportamientos externos sanos y estables. Alguien puede tener sentimientos sociables y una buena disposición hacia los demás, pero si durante mucho tiempo no se ha habituado por la insistencia de los mayores a decir «por favor», «permiso», «gracias», su buena disposición interior no se traducirá fácilmente en estas expresiones. El fortalecimiento de la voluntad y la repetición de determinadas acciones construyen la conducta moral, y sin la repetición consciente, libre y valorada de determinados comportamientos buenos no se termina de educar dicha conducta. Las motivaciones, o el atractivo que sentimos hacia determinado valor, no se convierten en una virtud sin esos actos adecuadamente motivados.

267. La libertad es algo grandioso, pero podemos echarla a perder. La educación moral es un cultivo de la libertad a través de propuestas, motivaciones, aplicaciones prácticas, estímulos, premios, ejemplos, modelos, símbolos, reflexiones, exhortaciones, revisiones del modo de actuar y diálogos que ayuden a las personas a desarrollar esos principios interiores estables que mueven a obrar espontáneamente el bien. La virtud es una

convicción que se ha trasformado en un principio interno y estable del obrar. La vida virtuosa, por lo tanto, construye la libertad, la fortalece y la educa, evitando que la persona se vuelva esclava de inclinaciones compulsivas deshumanizantes y antisociales. Porque la misma dignidad humana exige que cada uno «actúe según una elección consciente y libre, es decir, movido e inducido personalmente desde dentro».[3]

VALOR DE LA SANCIÓN COMO ESTÍMULO

268. Asimismo, es indispensable sensibilizar al niño o al adolescente para que advierta que las malas acciones tienen consecuencias. Hay que despertar la capacidad de ponerse en el lugar del otro y de dolerse por su sufrimiento cuando se le ha hecho daño. Algunas sanciones —a las conductas antisociales agresivas— pueden cumplir en parte esta finalidad. Es importante orientar al niño con firmeza a que pida perdón y repare el daño realizado a los demás. Cuando el camino educativo muestra sus frutos en una maduración de la libertad personal, el propio hijo en algún momento comenzará a reconocer con gratitud que ha sido bueno para él crecer en una familia e incluso sufrir las exigencias que plantea todo proceso formativo.

[3] CONC. ECUM. VAT. II, Const. past. *Gaudium et spes*, sobre la Iglesia en el mundo actual, 17.

269. La corrección es un estímulo cuando también se valoran y se reconocen los esfuerzos y cuando el hijo descubre que sus padres mantienen viva una paciente confianza. Un niño corregido con amor se siente tenido en cuenta, percibe que es alguien, advierte que sus padres reconocen sus posibilidades. Esto no requiere que los padres sean inmaculados, sino que sepan reconocer con humildad sus límites y muestren sus propios esfuerzos para ser mejores. Pero uno de los testimonios que los hijos necesitan de los padres es que no se dejen llevar por la ira. El hijo que comete una mala acción debe ser corregido, pero nunca como un enemigo o como aquel con quien se descarga la propia agresividad. Además, un adulto debe reconocer que algunas malas acciones tienen que ver con la fragilidad y los límites propios de la edad. Por eso sería nociva una actitud constantemente sancionatoria, que no ayudaría a advertir la diferente gravedad de las acciones y provocaría desánimo e irritación: «Padres, no exasperen a sus hijos» (*Ef* 6, 4; cf. *Col* 3, 21).

270. Lo fundamental es que la disciplina no se convierta en una mutilación del deseo, sino en un estímulo para ir siempre más allá. ¿Cómo integrar disciplina con inquietud interior? ¿Cómo hacer para que la disciplina sea límite constructivo del camino que tiene que emprender un niño y no

un muro que lo anule o una dimensión de la educación que lo acompleje? Hay que saber encontrar un equilibrio entre dos extremos igualmente nocivos: uno sería pretender construir un mundo a medida de los deseos del hijo, que crece sintiéndose sujeto de derechos pero no de responsabilidades. El otro extremo sería llevarlo a vivir sin conciencia de su dignidad, de su identidad única y de sus derechos, torturado por los deberes y pendiente de realizar los deseos ajenos.

Paciente realismo

271. La educación moral implica pedir a un niño o a un joven sólo aquellas cosas que no le signifiquen un sacrificio desproporcionado, reclamarle sólo una cuota de esfuerzo que no provoque resentimiento o acciones puramente forzadas. El camino ordinario es proponer pequeños pasos que puedan ser comprendidos, aceptados y valorados, e impliquen una renuncia proporcionada. De otro modo, por pedir demasiado, no logramos nada. La persona, apenas pueda librarse de la autoridad, posiblemente dejará de obrar bien.

272. La formación ética despierta a veces desprecio debido a experiencias de abandono, de desilusión, de carencia afectiva, o por una mala imagen de los padres. Se proyectan sobre los valores éticos las imágenes torcidas de la figura del padre y de la

madre, o las debilidades de los adultos. Por eso, hay que ayudar a los adolescentes a practicar la analogía: los valores están realizados especialmente en algunas personas muy ejemplares, pero también se realizan imperfectamente y en diversos grados. A la vez, puesto que las resistencias de los jóvenes están muy ligadas a malas experiencias, es necesario ayudarles a hacer un camino de curación de ese mundo interior herido, de manera que puedan dar un paso para comprender y reconciliarse con los seres humanos y con la sociedad.

273. Cuando se proponen valores, hay que ir a poco, avanzar de diversas maneras de acuerdo con la edad y con las posibilidades concretas de las personas, sin pretender aplicar metodologías rígidas e inmutables. Los aportes valiosos de la psicología y de las ciencias de la educación muestran la necesidad de un proceso gradual en la consecución de cambios de comportamiento, pero también la libertad requiere cauces y estímulos, porque abandonarla a sí misma no garantiza la maduración. La libertad concreta, real, es limitada y condicionada. No es una pura capacidad de elegir el bien con total espontaneidad. No siempre se distingue adecuadamente entre acto «voluntario» y acto «libre». Alguien puede querer algo malo con una gran fuerza de voluntad, pero a causa de una pasión irresistible o de una mala educación. En ese

caso, su decisión es muy voluntaria, no contradice la inclinación de su querer, pero no es libre, porque se le ha vuelto casi imposible no optar por ese mal. Es lo que sucede con un adicto compulsivo a la droga. Cuando la quiere lo hace con todas sus ganas, pero está tan condicionado que por el momento no es capaz de tomar otra decisión. Por lo tanto, su decisión es voluntaria, pero no es libre. No tiene sentido «dejar que elija con libertad», ya que de hecho no puede elegir, y exponerlo a la droga sólo aumenta la dependencia. Necesita la ayuda de los demás y un camino educativo.

La vida familiar como contexto educativo

274. La familia es la primera escuela de los valores humanos, en la que se aprende el buen uso de la libertad. Hay inclinaciones desarrolladas en la niñez, que impregnan la intimidad de una persona y permanecen toda la vida como una emotividad favorable hacia un valor o como un rechazo espontáneo de determinados comportamientos. Muchas personas actúan toda la vida de una determinada manera porque consideran valioso ese modo de actuar que se incorporó en ellos desde la infancia, como por ósmosis: «A mí me enseñaron así»; «eso es lo que me inculcaron». En el ámbito familiar también se puede aprender a discernir de

manera crítica los mensajes de los diversos medios de comunicación. Lamentablemente, muchas veces algunos programas televisivos o ciertas formas de publicidad inciden negativamente y debilitan valores recibidos en la vida familiar.

275. En este tiempo, en el que reinan la ansiedad y la prisa tecnológica, una tarea importantísima de las familias es educar para la capacidad de esperar. No se trata de prohibir a los chicos que jueguen con los dispositivos electrónicos, sino de encontrar la forma de generar en ellos la capacidad de diferenciar las diversas lógicas y de no aplicar la velocidad digital a todos los ámbitos de la vida. La postergación no es negar el deseo, sino diferir su satisfacción. Cuando los niños o los adolescentes no son educados para aceptar que algunas cosas deben esperar, se convierten en atropelladores, que someten todo a la satisfacción de sus necesidades inmediatas y crecen con el vicio del «quiero y tengo». Este es un gran engaño que no favorece la libertad, sino que la enferma. En cambio, cuando se educa para aprender a posponer algunas cosas y para esperar el momento adecuado, se enseña lo que es ser dueño de sí mismo, autónomo ante sus propios impulsos. Así, cuando el niño experimenta que puede hacerse cargo de sí mismo, se enriquece su autoestima. A su vez, esto le enseña a respetar la libertad de los demás. Por supuesto que esto

no implica exigirles a los niños que actúen como adultos, pero tampoco cabe menospreciar su capacidad de crecer en la maduración de una libertad responsable. En una familia sana, este aprendizaje se produce de manera ordinaria por las exigencias de la convivencia.

276. La familia es el ámbito de la socialización primaria, porque es el primer lugar donde se aprende a colocarse frente al otro, a escuchar, a compartir, a soportar, a respetar, a ayudar, a convivir. La tarea educativa tiene que despertar el sentimiento del mundo y de la sociedad como hogar, es una educación para saber «habitar», más allá de los límites de la propia casa. En el contexto familiar se enseña a recuperar la vecindad, el cuidado, el saludo. Allí se rompe el primer cerco del mortal egoísmo para reconocer que vivimos junto a otros, con otros, que son dignos de nuestra atención, de nuestra amabilidad, de nuestro afecto. No hay lazo social sin esta primera dimensión cotidiana, casi microscópica: el estar juntos en la vecindad, cruzándonos en distintos momentos del día, preocupándonos por lo que a todos nos afecta, socorriéndonos mutuamente en las pequeñas cosas cotidianas. La familia tiene que inventar todos los días nuevas formas de promover el reconocimiento mutuo.

277. En el hogar también se pueden replantear los hábitos de consumo para cuidar juntos la

casa común: «La familia es el sujeto protagonista de una ecología integral, porque es el sujeto social primario, que contiene en su seno los dos principios-base de la civilización humana sobre la tierra: el principio de comunión y el principio de fecundidad».[4] Igualmente, los momentos difíciles y duros de la vida familiar pueden ser muy educativos. Es lo que sucede, por ejemplo, cuando llega una enfermedad, porque «ante la enfermedad, incluso en la familia surgen dificultades, a causa de la debilidad humana. Pero, en general, el tiempo de la enfermedad hace crecer la fuerza de los vínculos familiares [...] Una educación que deja de lado la sensibilidad por la enfermedad humana aridece el corazón y hace que los jóvenes estén "anestesiados" respecto al sufrimiento de los demás, incapaces de confrontarse con el sufrimiento y vivir la experiencia del límite».[5]

278. El encuentro educativo entre padres e hijos puede ser facilitado o perjudicado por las tecnologías de la comunicación y la distracción, cada vez más sofisticadas. Cuando son bien utilizadas pueden ser útiles para conectar a los miembros de la familia a pesar de la distancia. Los contactos

---

[4] *Catequesis* (30 septiembre 2015): *L'Osservatore Romano*, ed. semanal en lengua española, 2 de octubre de 2015, p. 2.

[5] *Catequesis* (10 junio 2015): *L'Osservatore Romano*, ed. semanal en lengua española, 12 de junio de 2015, p. 16.

pueden ser frecuentes y ayudar a resolver dificultades.[6] Pero debe quedar claro que no sustituyen ni reemplazan la necesidad del diálogo más personal y profundo que requiere del contacto físico, o al menos de la voz de la otra persona. Sabemos que a veces estos recursos alejan en lugar de acercar, como cuando en la hora de la comida cada uno está concentrado en su teléfono móvil, o como cuando uno de los cónyuges se queda dormido esperando al otro, que pasa horas entretenido con algún dispositivo electrónico. En la familia, también esto debe ser motivo de diálogo y de acuerdos, que permitan dar prioridad al encuentro de sus miembros sin caer en prohibiciones irracionales. De cualquier modo, no se pueden ignorar los riesgos de las nuevas formas de comunicación para los niños y adolescentes, que a veces los convierten en abúlicos, desconectados del mundo real. Este «autismo tecnológico» los expone más fácilmente a los manejos de quienes buscan entrar en su intimidad con intereses egoístas.

279. Tampoco es bueno que los padres se conviertan en seres omnipotentes para sus hijos, que sólo puedan confiar en ellos, porque así impiden un adecuado proceso de socialización y de maduración afectiva. Para hacer efectiva esa prolongación de la paternidad en una realidad más

---

[6] Cf. *Relación final* 2015, 67.

amplia, «las comunidades cristianas están llamadas a ofrecer su apoyo a la misión educativa de las familias»,[7] de manera particular a través de la catequesis de iniciación. Para favorecer una educación integral necesitamos «reavivar la alianza entre la familia y la comunidad cristiana».[8] El Sínodo ha querido resaltar la importancia de la escuela católica, que «desarrolla una función vital de ayuda a los padres en su deber de educar a los hijos [...] Las escuelas católicas deberían ser alentadas en su misión de ayudar a los alumnos a crecer como adultos maduros que pueden ver el mundo a través de la mirada de amor de Jesús y comprender la vida como una llamada a servir a Dios».[9] Para ello «hay que afirmar decididamente la libertad de la Iglesia de enseñar la propia doctrina y el derecho a la objeción de conciencia por parte de los educadores».[10]

Sí a la educación sexual

280. El Concilio Vaticano II planteaba la necesidad de «una positiva y prudente educación

[7] *Catequesis* (20 mayo 2015): *L'Osservatore Romano,* ed. semanal en lengua española, 22 de mayo de 2015, p. 16.

[8] *Catequesis* (9 septiembre 2015): *L'Osservatore Romano,* ed. semanal en lengua española, 11 de septiembre de 2015, p. 14.

[9] *Relación final* 2015, 68.

[10] *Ibíd.*, 58.

sexual» que llegue a los niños y adolescentes «conforme avanza su edad» y «teniendo en cuenta el progreso de la psicología, la pedagogía y la didáctica».[11] Deberíamos preguntarnos si nuestras instituciones educativas han asumido este desafío. Es difícil pensar la educación sexual en una época en que la sexualidad tiende a banalizarse y a empobrecerse. Sólo podría entenderse en el marco de una educación para el amor, para la donación mutua. De esa manera, el lenguaje de la sexualidad no se ve tristemente empobrecido, sino iluminado. El impulso sexual puede ser cultivado en un camino de autoconocimiento y en el desarrollo de una capacidad de autodominio, que pueden ayudar a sacar a la luz capacidades preciosas de gozo y de encuentro amoroso.

281. La educación sexual brinda información, pero sin olvidar que los niños y los jóvenes no han alcanzado una madurez plena. La información debe llegar en el momento apropiado y de una manera adecuada a la etapa que viven. No sirve saturarlos de datos sin el desarrollo de un sentido crítico ante una invasión de propuestas, ante la pornografía descontrolada y la sobrecarga de estímulos que pueden mutilar la sexualidad. Los jóvenes deben poder advertir que están bombardeados

[11] CONC. ECUM. VAT. II, Declaración *Gravissimum educationis*, sobre la educación cristiana de la juventud, 1.

por mensajes que no buscan su bien y su maduración. Hace falta ayudarles a reconocer y a buscar las influencias positivas, al mismo tiempo que toman distancia de todo lo que desfigura su capacidad de amar. Igualmente, debemos aceptar que «la necesidad de un lenguaje nuevo y más adecuado se presenta especialmente en el tiempo de presentar a los niños y adolescentes el tema de la sexualidad».[12]

282. Una educación sexual que cuide un sano pudor tiene un valor inmenso, aunque hoy algunos consideren que es una cuestión de otras épocas. Es una defensa natural de la persona que resguarda su interioridad y evita ser convertida en un puro objeto. Sin el pudor, podemos reducir el afecto y la sexualidad a obsesiones que nos concentran sólo en la genitalidad, en morbosidades que desfiguran nuestra capacidad de amar y en diversas formas de violencia sexual que nos llevan a ser tratados de modo inhumano o a dañar a otros.

283. Con frecuencia la educación sexual se concentra en la invitación a «cuidarse», procurando un «sexo seguro». Esta expresión transmite una actitud negativa hacia la finalidad procreativa natural de la sexualidad, como si un posible hijo fuera un enemigo del cual hay que protegerse. Así se promueve la agresividad narcisista en lugar de la

---

[12] *Relación final* 2015, 56.

acogida. Es irresponsable toda invitación a los adolescentes a que jueguen con sus cuerpos y deseos, como si tuvieran la madurez, los valores, el compromiso mutuo y los objetivos propios del matrimonio. De ese modo se los alienta alegremente a utilizar a otra persona como objeto de búsquedas compensatorias de carencias o de grandes límites. Es importante, más bien, enseñarles un camino en torno a las diversas expresiones del amor, al cuidado mutuo, a la ternura respetuosa, a la comunicación rica de sentido. Porque todo eso prepara para un don de sí íntegro y generoso que se expresará, luego de un compromiso público, en la entrega de los cuerpos. La unión sexual en el matrimonio aparecerá así como signo de un compromiso totalizante, enriquecido por todo el camino previo.

284. No hay que engañar a los jóvenes llevándoles a confundir los planos: la atracción «crea, por un momento, la ilusión de la "unión", pero, sin amor, tal unión deja a los desconocidos tan separados como antes».[13] El lenguaje del cuerpo requiere el paciente aprendizaje que permite interpretar y educar los propios deseos para entregarse de verdad. Cuando se pretende entregar todo de golpe es posible que no se entregue nada. Una cosa es comprender las fragilidades de la edad o sus confusiones, y otra es alentar a los adolescentes a prolongar

---

[13] ERICH FROMM, *The art of Loving*, New York 1956, 54.

la inmadurez de su forma de amar. Pero ¿quién habla hoy de estas cosas? ¿Quién es capaz de tomarse en serio a los jóvenes? ¿Quién les ayuda a prepararse en serio para un amor grande y generoso? Se toma demasiado a la ligera la educación sexual.

285. La educación sexual debería incluir también el respeto y la valoración de la diferencia, que muestra a cada uno la posibilidad de superar el encierro en los propios límites para abrirse a la aceptación del otro. Más allá de las comprensibles dificultades que cada uno pueda vivir, hay que ayudar a aceptar el propio cuerpo tal como ha sido creado, porque «una lógica de dominio sobre el propio cuerpo se transforma en una lógica a veces sutil de dominio sobre la creación [...] También la valoración del propio cuerpo en su femineidad o masculinidad es necesaria para reconocerse a sí mismo en el encuentro con el diferente. De este modo es posible aceptar gozosamente el don específico del otro o de la otra, obra del Dios creador, y enriquecerse recíprocamente».[14] Sólo perdiéndole el miedo a la diferencia, uno puede terminar de liberarse de la inmanencia del propio ser y del embeleso por sí mismo. La educación sexual debe ayudar a aceptar el propio cuerpo, de manera

[14] Carta enc. *Laudato si'* (24 mayo 2015), 155.

que la persona no pretenda «cancelar la diferencia sexual porque ya no sabe confrontarse con la misma».[15]

286. Tampoco se puede ignorar que en la configuración del propio modo de ser, femenino o masculino, no confluyen sólo factores biológicos o genéticos, sino múltiples elementos que tienen que ver con el temperamento, la historia familiar, la cultura, las experiencias vividas, la formación recibida, las influencias de amigos, familiares y personas admiradas, y otras circunstancias concretas que exigen un esfuerzo de adaptación. Es verdad que no podemos separar lo que es masculino y femenino de la obra creada por Dios, que es anterior a todas nuestras decisiones y experiencias, donde hay elementos biológicos que es imposible ignorar. Pero también es verdad que lo masculino y lo femenino no son algo rígido. Por eso es posible, por ejemplo, que el modo de ser masculino del esposo pueda adaptarse de manera flexible a la situación laboral de la esposa. Asumir tareas domésticas o algunos aspectos de la crianza de los hijos no lo vuelven menos masculino ni significan un fracaso, una claudicación o una vergüenza. Hay que ayudar a los niños a aceptar con normalidad estos sanos «intercambios», que no quitan

---

[15] *Catequesis* (15 abril 2015): *L'Osservatore Romano*, ed. semanal en lengua española, 17 de abril de 2015, p. 2.

dignidad alguna a la figura paterna. La rigidez se convierte en una sobreactuación de lo masculino o femenino, y no educa a los niños y jóvenes para la reciprocidad encarnada en las condiciones reales del matrimonio. Esa rigidez, a su vez, puede impedir el desarrollo de las capacidades de cada uno, hasta el punto de llevar a considerar como poco masculino dedicarse al arte o a la danza y poco femenino desarrollar alguna tarea de conducción. Esto, gracias a Dios, ha cambiado, pero en algunos lugares ciertas concepciones inadecuadas siguen condicionando la legítima libertad y mutilando el auténtico desarrollo de la identidad concreta de los hijos o de sus potencialidades.

Transmitir la fe

287. La educación de los hijos debe estar marcada por un camino de transmisión de la fe, que se dificulta por el estilo de vida actual, por los horarios de trabajo, por la complejidad del mundo de hoy donde muchos llevan un ritmo frenético para poder sobrevivir.[16] Sin embargo, el hogar debe seguir siendo el lugar donde se enseñe a percibir las razones y la hermosura de la fe, a rezar y a servir al prójimo. Esto comienza en el bautismo, donde, como decía san Agustín, las madres que llevan a

[16] Cf. *Relación final* 2015, 13-14.

sus hijos «cooperan con el parto santo».[17] Después comienza el camino del crecimiento de esa vida nueva. La fe es don de Dios, recibido en el bautismo, y no es el resultado de una acción humana, pero los padres son instrumentos de Dios para su maduración y desarrollo. Entonces «es hermoso cuando las mamás enseñan a los hijos pequeños a mandar un beso a Jesús o a la Virgen. ¡Cuánta ternura hay en ello! En ese momento el corazón de los niños se convierte en espacio de oración».[18] La transmisión de la fe supone que los padres vivan la experiencia real de confiar en Dios, de buscarlo, de necesitarlo, porque sólo de ese modo «una generación pondera tus obras a la otra, y le cuenta tus hazañas» (*Sal* 144, 4) y «el padre enseña a sus hijos tu fidelidad» (*Is* 38, 19). Esto requiere que imploremos la acción de Dios en los corazones, allí donde no podemos llegar. El grano de mostaza, tan pequeña semilla, se convierte en un gran arbusto (cf. *Mt* 13, 31-32), y así reconocemos la desproporción entre la acción y su efecto. Entonces sabemos que no somos dueños del don, sino sus administradores cuidadosos. Pero nuestro empeño creativo es una ofrenda que nos permite colaborar con la iniciativa de Dios. Por ello, «han de ser valorados los cónyuges, madres y padres, como sujetos activos de la catequesis

---

[17] *De sancta virginitate*, 7, 7: *PL* 40, 400.

[18] *Catequesis* (26 agosto 2015): *L'Osservatore Romano*, ed. semanal en lengua española, 28 de agosto de 2015, p. 12.

[...] Es de gran ayuda la catequesis familiar, como método eficaz para formar a los jóvenes padres de familia y hacer que tomen conciencia de su misión de evangelizadores de su propia familia».[19]

288. La educación en la fe sabe adaptarse a cada hijo, porque los recursos aprendidos o las recetas a veces no funcionan. Los niños necesitan símbolos, gestos, narraciones. Los adolescentes suelen entrar en crisis con la autoridad y con las normas, por lo cual conviene estimular sus propias experiencias de fe y ofrecerles testimonios luminosos que se impongan por su sola belleza. Los padres que quieren acompañar la fe de sus hijos están atentos a sus cambios, porque saben que la experiencia espiritual no se impone, sino que se propone a su libertad. Es fundamental que los hijos vean de una manera concreta que para sus padres la oración es realmente importante. Por eso los momentos de oración en familia y las expresiones de la piedad popular pueden tener mayor fuerza evangelizadora que todas las catequesis y que todos los discursos. Quiero expresar especialmente mi gratitud a todas las madres que oran incesantemente, como lo hacía santa Mónica, por los hijos que se han alejado de Cristo.

---

[19] *Relación final* 2015, 89.

289. El ejercicio de transmitir a los hijos la fe, en el sentido de facilitar su expresión y crecimiento, ayuda a que la familia se vuelva evangelizadora y espontáneamente empiece a transmitirla a todos los que se acercan a ella y aun fuera del propio ámbito familiar. Los hijos que crecen en familias misioneras a menudo se vuelven misioneros, si los padres saben vivir esta tarea de tal modo que los demás les sientan cercanos y amigables, de manera que los hijos crezcan en ese modo de relacionarse con el mundo, sin renunciar a su fe y a sus convicciones. Recordemos que el mismo Jesús comía y bebía con los pecadores (cf. *Mc* 2, 16; *Mt* 11, 19), podía detenerse a conversar con la samaritana (cf. *Jn* 4, 7-26), y recibir de noche a Nicodemo (cf. *Jn* 3, 1-21), se dejaba ungir sus pies por una mujer prostituta (cf. *Lc* 7, 36-50) y se detenía a tocar a los enfermos (cf. *Mc* 1, 40-45; 7, 33). Lo mismo hacían sus apóstoles, que no despreciaban a los demás, no estaban recluidos en pequeños grupos de selectos, aislados de la vida de su gente. Mientras las autoridades los acosaban, ellos gozaban de la simpatía «de todo el pueblo» (*Hch* 2, 47; cf. 4, 21.33; 5, 13).

290. «La familia se convierte en sujeto de la acción pastoral mediante el anuncio explícito del Evangelio y el legado de múltiples formas de testimonio, entre las cuales: la solidaridad con los

pobres, la apertura a la diversidad de las personas, la custodia de la creación, la solidaridad moral y material hacia las otras familias, sobre todo hacia las más necesitadas, el compromiso con la promoción del bien común, incluso mediante la transformación de las estructuras sociales injustas, a partir del territorio en el cual la familia vive, practicando las obras de misericordia corporal y espiritual».[20] Esto debe situarse en el marco de la convicción más preciosa de los cristianos: el amor del Padre que nos sostiene y nos promueve, manifestado en la entrega total de Jesucristo, vivo entre nosotros, que nos hace capaces de afrontar juntos todas las tormentas y todas las etapas de la vida. También en el corazón de cada familia hay que hacer resonar el *kerygma*, a tiempo y a destiempo, para que ilumine el camino. Todos deberíamos ser capaces de decir, a partir de lo vivido en nuestras familias: «Hemos conocido el amor que Dios nos tiene» (*1Jn* 4, 16). Sólo a partir de esta experiencia, la pastoral familiar podrá lograr que las familias sean a la vez iglesias domésticas y fermento evangelizador en la sociedad.

---

[20] *Ibíd.*, 93.

CAPÍTULO OCTAVO

ACOMPAÑAR, DISCERNIR E INTEGRAR LA FRAGILIDAD

291. Los Padres sinodales han expresado que, aunque la Iglesia entiende que toda ruptura del vínculo matrimonial «va contra la voluntad de Dios, también es consciente de la fragilidad de muchos de sus hijos».[1] Iluminada por la mirada de Jesucristo, «mira con amor a quienes participan en su vida de modo incompleto, reconociendo que la gracia de Dios también obra en sus vidas, dándoles la valentía para hacer el bien, para hacerse cargo con amor el uno del otro y estar al servicio de la comunidad en la que viven y trabajan».[2] Por otra parte, esta actitud se ve fortalecida en el contexto de un Año Jubilar dedicado a la misericordia. Aunque siempre propone la perfección e invita a una respuesta más plena a Dios, «la Iglesia debe acompañar con atención y cuidado a sus hijos más frágiles, marcados por el amor herido y extraviado, dándoles de nuevo confianza y esperanza, como la luz del faro de un puerto o de una antorcha llevada

---

[1] *Relatio Synodi* 2014, 24.

[2] *Ibíd.*, 25.

en medio de la gente para iluminar a quienes han perdido el rumbo o se encuentran en medio de la tempestad».[3] No olvidemos que, a menudo, la tarea de la Iglesia se asemeja a la de un hospital de campaña.

292. El matrimonio cristiano, reflejo de la unión entre Cristo y su Iglesia, se realiza plenamente en la unión entre un varón y una mujer, que se donan recíprocamente en un amor exclusivo y en libre fidelidad, se pertenecen hasta la muerte y se abren a la comunicación de la vida, consagrados por el sacramento que les confiere la gracia para constituirse en iglesia doméstica y en fermento de vida nueva para la sociedad. Otras formas de unión contradicen radicalmente este ideal, pero algunas lo realizan al menos de modo parcial y análogo. Los Padres sinodales expresaron que la Iglesia no deja de valorar los elementos constructivos en aquellas situaciones que todavía no corresponden o ya no corresponden a su enseñanza sobre el matrimonio.[4]

Gradualidad en la pastoral

293. Los Padres también han puesto la mirada en la situación particular de un matrimonio

[3] *Ibíd.*, 28.

[4] Cf. *ibíd.*, 41.43; *Relación final* 2015, 70.

sólo civil o, salvadas las distancias, aun de una mera convivencia en la que, «cuando la unión alcanza una estabilidad notable mediante un vínculo público, está connotada de afecto profundo, de responsabilidad por la prole, de capacidad de superar las pruebas, puede ser vista como una ocasión de acompañamiento en la evolución hacia el sacramento del matrimonio».[5] Por otra parte, es preocupante que muchos jóvenes hoy desconfíen del matrimonio y convivan, postergando indefinidamente el compromiso conyugal, mientras otros ponen fin al compromiso asumido y de inmediato instauran uno nuevo. Ellos, «que forman parte de la Iglesia, necesitan una atención pastoral misericordiosa y alentadora».[6] Porque a los pastores compete no sólo la promoción del matrimonio cristiano, sino también «el discernimiento pastoral de las situaciones de tantas personas que ya no viven esta realidad», para «entrar en diálogo pastoral con ellas a fin de poner de relieve los elementos de su vida que puedan llevar a una mayor apertura al Evangelio del matrimonio en su plenitud».[7] En el discernimiento pastoral conviene «identificar elementos que favorezcan la evangelización y el crecimiento humano y espiritual».[8]

---

[5] *Relatio Synodi* 2014, 27.

[6] *Ibíd.*, 26.

[7] *Ibíd.*, 41.

[8] *Ibíd.*

294. «La elección del matrimonio civil o, en otros casos, de la simple convivencia, frecuentemente no está motivada por prejuicios o resistencias a la unión sacramental, sino por situaciones culturales o contingentes».[9] En estas situaciones podrán ser valorados aquellos signos de amor que de algún modo reflejan el amor de Dios.[10] Sabemos que «crece continuamente el número de quienes después de haber vivido juntos durante largo tiempo piden la celebración del matrimonio en la Iglesia. La simple convivencia a menudo se elige a causa de la mentalidad general contraria a las instituciones y a los compromisos definitivos, pero también porque se espera adquirir una mayor seguridad existencial (trabajo y salario fijo). En otros países, por último, las uniones de hecho son muy numerosas, no sólo por el rechazo de los valores de la familia y del matrimonio, sino sobre todo por el hecho de que casarse se considera un lujo, por las condiciones sociales, de modo que la miseria material impulsa a vivir uniones de hecho».[11] Pero «es preciso afrontar todas estas situaciones de manera constructiva, tratando de transformarlas en oportunidad de camino hacia la plenitud del matrimonio y de la familia a la luz del Evangelio. Se

---

[9] *Relación final* 2015, 71.

[10] Cf. *ibíd.*

[11] *Relatio Synodi* 2014, 42.

trata de acogerlas y acompañarlas con paciencia y delicadeza».[12] Es lo que hizo Jesús con la samaritana (cf. *Jn* 4, 1-26): dirigió una palabra a su deseo de amor verdadero, para liberarla de todo lo que oscurecía su vida y conducirla a la alegría plena del Evangelio.

295. En esta línea, san Juan Pablo II proponía la llamada «ley de gradualidad» con la conciencia de que el ser humano «conoce, ama y realiza el bien moral según diversas etapas de crecimiento».[13] No es una «gradualidad de la ley», sino una gradualidad en el ejercicio prudencial de los actos libres en sujetos que no están en condiciones sea de comprender, de valorar o de practicar plenamente las exigencias objetivas de la ley. Porque la ley es también don de Dios que indica el camino, don para todos sin excepción que se puede vivir con la fuerza de la gracia, aunque cada ser humano «avanza gradualmente con la progresiva integración de los dones de Dios y de las exigencias de su amor definitivo y absoluto en toda la vida personal y social».[14]

---

[12] *Ibíd.*, 43.

[13] Exhort. ap. *Familiaris consortio* (22 noviembre 1981), 34: *AAS* 74 (1982), 123.

[14] *Ibíd.*, 9: *AAS* 74 (1982), 90.

Discernimiento de las situaciones llamadas «irregulares»[15]

296. El Sínodo se ha referido a distintas situaciones de fragilidad o imperfección. Al respecto, quiero recordar aquí algo que he querido plantear con claridad a toda la Iglesia para que no equivoquemos el camino: «Dos lógicas recorren toda la historia de la Iglesia: marginar y reintegrar [...] El camino de la Iglesia, desde el concilio de Jerusalén en adelante, es siempre el camino de Jesús, el de la misericordia y de la integración [...] El camino de la Iglesia es el de no condenar a nadie para siempre y difundir la misericordia de Dios a todas las personas que la piden con corazón sincero [...] Porque la caridad verdadera siempre es inmerecida, incondicional y gratuita».[16] Entonces, «hay que evitar los juicios que no toman en cuenta la complejidad de las diversas situaciones, y hay que estar atentos al modo en que las personas viven y sufren a causa de su condición».[17]

297. Se trata de integrar a todos, se debe ayudar a cada uno a encontrar su propia manera de participar en la comunidad eclesial, para que

---

[15] Cf. *Catequesis* (24 junio 2015): *L'Osservatore Romano*, ed. semanal en lengua española, 26 de junio de 2015, p. 16.

[16] *Homilía en la Eucaristía celebrada con los nuevos cardenales* (15 febrero 2015): *AAS* 107 (215), 257.

[17] *Relación final* 2015, 51.

se sienta objeto de una misericordia «inmerecida, incondicional y gratuita». Nadie puede ser condenado para siempre, porque esa no es la lógica del Evangelio. No me refiero sólo a los divorciados en nueva unión sino a todos, en cualquier situación en que se encuentren. Obviamente, si alguien ostenta un pecado objetivo como si fuese parte del ideal cristiano, o quiere imponer algo diferente a lo que enseña la Iglesia, no puede pretender dar catequesis o predicar, y en ese sentido hay algo que lo separa de la comunidad (cf. *Mt* 18, 17). Necesita volver a escuchar el anuncio del Evangelio y la invitación a la conversión. Pero aun para él puede haber alguna manera de participar en la vida de la comunidad, sea en tareas sociales, en reuniones de oración o de la manera que sugiera su propia iniciativa, junto con el discernimiento del pastor. Acerca del modo de tratar las diversas situaciones llamadas «irregulares», los Padres sinodales alcanzaron un consenso general, que sostengo: «Respecto a un enfoque pastoral dirigido a las personas que han contraído matrimonio civil, que son divorciados y vueltos a casar, o que simplemente conviven, compete a la Iglesia revelarles la divina pedagogía de la gracia en sus vidas y ayudarles a alcanzar la plenitud del designio que Dios tiene para ellos»,[18] siempre posible con la fuerza del Espíritu Santo.

298. Los divorciados en nueva unión, por ejemplo, pueden encontrarse en situaciones muy diferentes, que no han de ser catalogadas o encerradas en afirmaciones demasiado rígidas sin dejar lugar a un adecuado discernimiento personal y pastoral. Existe el caso de una segunda unión consolidada en el tiempo, con nuevos hijos, con probada fidelidad, entrega generosa, compromiso cristiano, conocimiento de la irregularidad de su situación y gran dificultad para volver atrás sin sentir en conciencia que se cae en nuevas culpas. La Iglesia reconoce situaciones en que «cuando el hombre y la mujer, por motivos serios, –como, por ejemplo, la educación de los hijos– no pueden cumplir la obligación de la separación».[19] También está el caso de los que han hecho grandes esfuerzos para salvar el primer matrimonio y sufrieron un abandono injusto, o el de «los que han contraído una segunda unión en vista a la educación de los hijos, y a veces están subjetivamente

[18] *Relatio Synodi* 2014, 25.

[19] Juan Pablo II, Exhort. ap. *Familiaris consortio* (22 noviembre 1981), 84: *AAS* 74 (1982), 186. En estas situaciones, muchos, conociendo y aceptando la posibilidad de convivir «como hermanos» que la Iglesia les ofrece, destacan que si faltan algunas expresiones de intimidad «puede poner en peligro no raras veces el bien de la fidelidad y el bien de la prole» (Conc. Ecum. Vat. II, Const. past. *Gaudium et spes*, sobre la Iglesia en el mundo actual, 51).

seguros en conciencia de que el precedente matrimonio, irreparablemente destruido, no había sido nunca válido».[20] Pero otra cosa es una nueva unión que viene de un reciente divorcio, con todas las consecuencias de sufrimiento y de confusión que afectan a los hijos y a familias enteras, o la situación de alguien que reiteradamente ha fallado a sus compromisos familiares. Debe quedar claro que este no es el ideal que el Evangelio propone para el matrimonio y la familia. Los Padres sinodales han expresado que el discernimiento de los pastores siempre debe hacerse «distinguiendo adecuadamente»,[21] con una mirada que «discierna bien las situaciones».[22] Sabemos que no existen «recetas sencillas».[23]

299. Acojo las consideraciones de muchos Padres sinodales, quienes quisieron expresar que «los bautizados que se han divorciado y se han vuelto a casar civilmente deben ser más integrados en la comunidad cristiana en las diversas formas posibles, evitando cualquier ocasión de escándalo. La lógica de la integración es la clave

---

[20] *Ibíd.*

[21] *Relatio Synodi* 2014, 26.

[22] *Ibíd.*, 45.

[23] Benedicto XVI, *Diálogo con el Papa en la fiesta de los testimonios. VII Encuentro Mundial de las Familias en Milán* (2 junio 2012): *L'Osservatore Romano*, ed. semanal en lengua española, 10 de junio de 2012, p. 12.

de su acompañamiento pastoral, para que no sólo sepan que pertenecen al Cuerpo de Cristo que es la Iglesia, sino que puedan tener una experiencia feliz y fecunda. Son bautizados, son hermanos y hermanas, el Espíritu Santo derrama en ellos dones y carismas para el bien de todos. Su participación puede expresarse en diferentes servicios eclesiales: es necesario, por ello, discernir cuáles de las diversas formas de exclusión actualmente practicadas en el ámbito litúrgico, pastoral, educativo e institucional pueden ser superadas. Ellos no sólo no tienen que sentirse excomulgados, sino que pueden vivir y madurar como miembros vivos de la Iglesia, sintiéndola como una madre que les acoge siempre, los cuida con afecto y los anima en el camino de la vida y del Evangelio. Esta integración es también necesaria para el cuidado y la educación cristiana de sus hijos, que deben ser considerados los más importantes».[24]

300. Si se tiene en cuenta la innumerable diversidad de situaciones concretas, como las que mencionamos antes, puede comprenderse que no debía esperarse del Sínodo o de esta Exhortación una nueva normativa general de tipo canónica, aplicable a todos los casos. Sólo cabe un nuevo aliento a un responsable discernimiento personal y pastoral de los casos particulares, que

[24] *Relación final* 2015, 84.

debería reconocer que, puesto que «el grado de responsabilidad no es igual en todos los casos»,[25] las consecuencias o efectos de una norma no necesariamente deben ser siempre las mismas.[26] Los presbíteros tienen la tarea de «acompañar a las personas interesadas en el camino del discernimiento de acuerdo a la enseñanza de la Iglesia y las orientaciones del Obispo. En este proceso será útil hacer un examen de conciencia, a través de momentos de reflexión y arrepentimiento. Los divorciados vueltos a casar deberían preguntarse cómo se han comportado con sus hijos cuando la unión conyugal entró en crisis; si hubo intentos de reconciliación; cómo es la situación del cónyuge abandonado; qué consecuencias tiene la nueva relación sobre el resto de la familia y la comunidad de los fieles; qué ejemplo ofrece esa relación a los jóvenes que deben prepararse al matrimonio. Una reflexión sincera puede fortalecer la confianza en la misericordia de Dios, que no es negada a nadie».[27] Se trata de un itinerario de acompañamiento y de discernimiento que «orienta a estos fieles a la toma de conciencia de su situación ante Dios. La

---

[25] *Ibíd.*, 51.

[26] Tampoco en lo referente a la disciplina sacramental, puesto que el discernimiento puede reconocer que en una situación particular no hay culpa grave. Allí se aplica lo que afirmé en otro documento: cf. Exhort. ap. *Evangelii gaudium* (24 noviembre 2013), 44.47: *AAS* 105 (2013), 1038.1040.

[27] *Relación final* 2015, 85.

conversación con el sacerdote, en el fuero interno, contribuye a la formación de un juicio correcto sobre aquello que obstaculiza la posibilidad de una participación más plena en la vida de la Iglesia y sobre los pasos que pueden favorecerla y hacerla crecer. Dado que en la misma ley no hay gradualidad (cf. *Familiaris consortio*, 34), este discernimiento no podrá jamás prescindir de las exigencias de verdad y de caridad del Evangelio propuesto por la Iglesia. Para que esto suceda, deben garantizarse las condiciones necesarias de humildad, reserva, amor a la Iglesia y a su enseñanza, en la búsqueda sincera de la voluntad de Dios y con el deseo de alcanzar una respuesta a ella más perfecta».[28] Estas actitudes son fundamentales para evitar el grave riesgo de mensajes equivocados, como la idea de que algún sacerdote puede conceder rápidamente «excepciones», o de que existen personas que pueden obtener privilegios sacramentales a cambio de favores. Cuando se encuentra una persona responsable y discreta, que no pretende poner sus deseos por encima del bien común de la Iglesia, con un pastor que sabe reconocer la seriedad del asunto que tiene entre manos, se evita el riesgo de que un determinado discernimiento lleve a pensar que la Iglesia sostiene una doble moral.

---

[28] *Ibíd.*, 86.

Circunstancias atenuantes en el discernimiento pastoral

301. Para entender de manera adecuada por qué es posible y necesario un discernimiento especial en algunas situaciones llamadas «irregulares», hay una cuestión que debe ser tenida en cuenta siempre, de manera que nunca se piense que se pretenden disminuir las exigencias del Evangelio. La Iglesia posee una sólida reflexión acerca de los condicionamientos y circunstancias atenuantes. Por eso, ya no es posible decir que todos los que se encuentran en alguna situación así llamada «irregular» viven en una situación de pecado mortal, privados de la gracia santificante. Los límites no tienen que ver solamente con un eventual desconocimiento de la norma. Un sujeto, aun conociendo bien la norma, puede tener una gran dificultad para comprender «los valores inherentes a la norma»[29] o puede estar en condiciones concretas que no le permiten obrar de manera diferente y tomar otras decisiones sin una nueva culpa. Como bien expresaron los Padres sinodales, «puede haber factores que limitan la capacidad de decisión».[30] Ya santo Tomás de Aquino reconocía que alguien puede tener la gracia y la caridad, pero no poder ejercitar

---

[29] Juan Pablo II, Exhort. ap. *Familiaris consortio* (22 noviembre 1981), 33: *AAS* 74 (1982), 121.

[30] *Relación final* 2015, 51.

bien alguna de las virtudes,[31] de manera que aunque posea todas las virtudes morales infusas, no manifiesta con claridad la existencia de alguna de ellas, porque el obrar exterior de esa virtud está dificultado: «Se dice que algunos santos no tienen algunas virtudes, en cuanto experimentan dificultad en sus actos, aunque tengan los hábitos de todas las virtudes».[32]

302. Con respecto a estos condicionamientos, el *Catecismo de la Iglesia Católica* se expresa de una manera contundente: «La imputabilidad y la responsabilidad de una acción pueden quedar disminuidas e incluso suprimidas a causa de la ignorancia, la inadvertencia, la violencia, el temor, los hábitos, los afectos desordenados y otros factores psíquicos o sociales».[33] En otro párrafo se refiere nuevamente a circunstancias que atenúan la responsabilidad moral, y menciona, con gran amplitud, «la inmadurez afectiva, la fuerza de los hábitos contraídos, el estado de angustia u otros

[31] Cf. *Summa Theologiae* I-II, q. 65, a. 3, ad 2; *De Malo*, q. 2, a. 2.

[32] *Ibíd.*, ad 3.

[33] N. 1735.

factores psíquicos o sociales».[34] Por esta razón, un juicio negativo sobre una situación objetiva no implica un juicio sobre la imputabilidad o la culpabilidad de la persona involucrada.[35] En el contexto de estas convicciones, considero muy adecuado lo que quisieron sostener muchos Padres sinodales: «En determinadas circunstancias, las personas encuentran grandes dificultades para actuar en modo diverso [...] El discernimiento pastoral, aun teniendo en cuenta la conciencia rectamente formada de las personas, debe hacerse cargo de estas situaciones. Tampoco las consecuencias de los actos realizados son necesariamente las mismas en todos los casos».[36]

303. A partir del reconocimiento del peso de los condicionamientos concretos, podemos agregar que la conciencia de las personas debe ser mejor incorporada en la praxis de la Iglesia en algunas situaciones que no realizan objetivamente nuestra

---

[34] *Ibíd.*, 2352; cf. Congregación para la Doctrina de la Fe, Declaración *Iura et bona*, sobre la eutanasia (5 mayo 1980), II: *AAS* 72 (1980), 546. Juan Pablo II, criticando la categoría de «opción fundamental», reconocía que «sin duda pueden darse situaciones muy complejas y oscuras bajo el aspecto psicológico, que influyen en la imputabilidad subjetiva del pecador»: Exhort. ap. *Reconciliatio et paenitentia* (2 diciembre 1984), 17: *AAS* 77 (1985), 223.

[35] Cf. Pontificio Consejo para los Textos Legislativos, *Declaración sobre la admisibilidad a la sagrada comunión de los divorciados que se han vuelto a casar* (24 junio 2000), 2.

[36] *Relación final* 2015, 85.

concepción del matrimonio. Ciertamente, que hay que alentar la maduración de una conciencia iluminada, formada y acompañada por el discernimiento responsable y serio del pastor, y proponer una confianza cada vez mayor en la gracia. Pero esa conciencia puede reconocer no sólo que una situación no responde objetivamente a la propuesta general del Evangelio. También puede reconocer con sinceridad y honestidad aquello que, por ahora, es la respuesta generosa que se puede ofrecer a Dios, y descubrir con cierta seguridad moral que esa es la entrega que Dios mismo está reclamando en medio de la complejidad concreta de los límites, aunque todavía no sea plenamente el ideal objetivo. De todos modos, recordemos que este discernimiento es dinámico y debe permanecer siempre abierto a nuevas etapas de crecimiento y a nuevas decisiones que permitan realizar el ideal de manera más plena.

Normas y discernimiento

304. Es mezquino detenerse sólo a considerar si el obrar de una persona responde o no a una ley o norma general, porque eso no basta para discernir y asegurar una plena fidelidad a Dios en la existencia concreta de un ser humano. Ruego encarecidamente que recordemos siempre algo que enseña santo Tomás de Aquino, y que

aprendamos a incorporarlo en el discernimiento pastoral: «Aunque en los principios generales haya necesidad, cuanto más se afrontan las cosas particulares, tanta más indeterminación hay [...] En el ámbito de la acción, la verdad o la rectitud práctica no son lo mismo en todas las aplicaciones particulares, sino solamente en los principios generales; y en aquellos para los cuales la rectitud es idéntica en las propias acciones, esta no es igualmente conocida por todos [...] Cuanto más se desciende a lo particular, tanto más aumenta la indeterminación».[37] Es verdad que las normas generales presentan un bien que nunca se debe desatender ni descuidar, pero en su formulación no pueden abarcar absolutamente todas las situaciones particulares. Al mismo tiempo, hay que decir que, precisamente por esa razón, aquello que forma parte de un discernimiento práctico ante una situación particular no puede ser elevado a la categoría de una norma. Ello no sólo daría lugar a una casuística insoportable, sino que pondría en riesgo los valores que se deben preservar con especial cuidado.[38]

---

[37] *Summa Theologiae* I-II, q. 94, a. 4.

[38] En otro texto, refiriéndose al conocimiento general de la norma y al conocimiento particular del discernimiento práctico, santo Tomás llega a decir que «si no hay más que uno solo de los dos conocimientos, es preferible que este sea el conocimiento de la realidad particular que se acerca más al obrar»: TOMÁS DE AQUINO, *Sententia libri Ethicorum*, VI, 6 (ed. Leonina, t. XLVII, 354).

305. Por ello, un pastor no puede sentirse satisfecho sólo aplicando leyes morales a quienes viven en situaciones «irregulares», como si fueran rocas que se lanzan sobre la vida de las personas. Es el caso de los corazones cerrados, que suelen esconderse aun detrás de las enseñanzas de la Iglesia «para sentarse en la cátedra de Moisés y juzgar, a veces con superioridad y superficialidad, los casos difíciles y las familias heridas».[39] En esta misma línea se expresó la Comisión Teológica Internacional: «La ley natural no debería ser presentada como un conjunto ya constituido de reglas que se imponen *a priori* al sujeto moral, sino que es más bien una fuente de inspiración objetiva para su proceso, eminentemente personal, de toma de decisión».[40] A causa de los condicionamientos o factores atenuantes, es posible que, en medio de una situación objetiva de pecado —que no sea subjetivamente culpable o que no lo sea de modo pleno— se pueda vivir en gracia de Dios, se pueda amar, y también se pueda crecer en la vida de la gracia y la caridad, recibiendo para ello la ayuda de la

---

[39] *Discurso en la clausura de la XIV Asamblea General Ordinaria del Sínodo de los Obispos* (24 octubre 2015): *L'Osservatore Romano*, ed. semanal en lengua española, 30 de octubre de 2015, p. 4.

[40] *En busca de una ética universal: nueva mirada sobre la ley natural* (2009), 59.

Iglesia.[41] El discernimiento debe ayudar a encontrar los posibles caminos de respuesta a Dios y de crecimiento en medio de los límites. Por creer que todo es blanco o negro a veces cerramos el camino de la gracia y del crecimiento, y desalentamos caminos de santificación que dan gloria a Dios. Recordemos que «un pequeño paso, en medio de grandes límites humanos, puede ser más agradable a Dios que la vida exteriormente correcta de quien transcurre sus días sin enfrentar importantes dificultades».[42] La pastoral concreta de los ministros y de las comunidades no puede dejar de incorporar esta realidad.

306. En cualquier circunstancia, ante quienes tengan dificultades para vivir plenamente la ley divina, debe resonar la invitación a recorrer la *via caritatis*. La caridad fraterna es la primera ley de los cristianos (cf. *Jn* 15, 12; *Ga* 5, 14). No olvidemos la promesa de las Escrituras: «Mantengan un amor intenso entre ustedes, porque el amor tapa multitud de pecados» (*1P* 4, 8); «expía tus

---

[41] En ciertos casos, podría ser también la ayuda de los sacramentos. Por eso, «a los sacerdotes les recuerdo que el confesionario no debe ser una sala de torturas sino el lugar de la misericordia del Señor»: Exhort. ap. *Evangelii gaudium* (24 noviembre 2013), 44: *AAS* 105 (2013), 1038. Igualmente destaco que la Eucaristía «no es un premio para los perfectos sino un generoso remedio y un alimento para los débiles» (*ibíd*, 47: 1039).

[42] Exhort. ap. *Evangelii gaudium* (24 noviembre 2013), 44: *AAS* 105 (2013), 1038-1039.

pecados con limosnas, y tus delitos socorriendo los pobres» (*Dn* 4, 24). «El agua apaga el fuego ardiente y la limosna perdona los pecados» (*Si* 3, 30). Es también lo que enseña san Agustín: «Así como, en peligro de incendio, correríamos a buscar agua para apagarlo [...] del mismo modo, si de nuestra paja surgiera la llama del pecado, y por eso nos turbamos, cuando se nos ofrezca la ocasión de una obra llena de misericordia, alegrémonos de ella como si fuera una fuente que se nos ofrezca en la que podamos sofocar el incendio».[43]

La lógica de la misericordia pastoral

307. Para evitar cualquier interpretación desviada, recuerdo que de ninguna manera la Iglesia debe renunciar a proponer el ideal pleno del matrimonio, el proyecto de Dios en toda su grandeza: «Es preciso alentar a los jóvenes bautizados a no dudar ante la riqueza que el sacramento del matrimonio procura a sus proyectos de amor, con la fuerza del sostén que reciben de la gracia de Cristo y de la posibilidad de participar plenamente en la vida de la Iglesia».[44] La tibieza, cualquier forma de relativismo, o un excesivo respeto a la hora de proponerlo, serían una falta de fidelidad al Evangelio

[43] *De catechizandis rudibus*, 1, 14, 22: *PL* 40, 327; cf. Exhort. ap. *Evangelii gaudium* (24 noviembre 2013), 193: *AAS* 105 (2013), 1101.

[44] *Relatio Synodi* 2014, 26.

y también una falta de amor de la Iglesia hacia los mismos jóvenes. Comprender las situaciones excepcionales nunca implica ocultar la luz del ideal más pleno ni proponer menos que lo que Jesús ofrece al ser humano. Hoy, más importante que una pastoral de los fracasos es el esfuerzo pastoral para consolidar los matrimonios y así prevenir las rupturas.

308. Pero de nuestra conciencia del peso de las circunstancias atenuantes –psicológicas, históricas e incluso biológicas– se sigue que, «sin disminuir el valor del ideal evangélico, hay que acompañar con misericordia y paciencia las etapas posibles de crecimiento de las personas que se van construyendo día a día», dando lugar a «la misericordia del Señor que nos estimula a hacer el bien posible».[45] Comprendo a quienes prefieren una pastoral más rígida que no dé lugar a confusión alguna. Pero creo sinceramente que Jesucristo quiere una Iglesia atenta al bien que el Espíritu derrama en medio de la fragilidad: una Madre que, al mismo tiempo que expresa claramente su enseñanza objetiva, «no renuncia al bien posible, aunque corra el riesgo de mancharse con el barro del camino».[46] Los pastores, que proponen a los fieles

---

[45] Exhort. ap. *Evangelii gaudium* (24 noviembre 2013), 44: *AAS* 105 (2013), 1038.

[46] *Ibíd.*, 45: *AAS* 105 (2013), 1039.

el ideal pleno del Evangelio y la doctrina de la Iglesia, deben ayudarles también a asumir la lógica de la compasión con los frágiles y a evitar persecuciones o juicios demasiado duros o impacientes. El mismo Evangelio nos reclama que no juzguemos ni condenemos (cf. *Mt* 7, 1; *Lc* 6, 37). Jesús «espera que renunciemos a buscar esos cobertizos personales o comunitarios que nos permiten mantenernos a distancia del nudo de la tormenta humana, para que aceptemos de verdad entrar en contacto con la existencia concreta de los otros y conozcamos la fuerza de la ternura. Cuando lo hacemos, la vida siempre se nos complica maravillosamente».[47]

309. Es providencial que estas reflexiones se desarrollen en el contexto de un Año Jubilar dedicado a la misericordia, porque también frente a las más diversas situaciones que afectan a la familia, «la Iglesia tiene la misión de anunciar la misericordia de Dios, corazón palpitante del Evangelio, que por su medio debe alcanzar la mente y el corazón de toda persona. La Esposa de Cristo hace suyo el comportamiento del Hijo de Dios que sale a encontrar a todos, sin excluir ninguno».[48] Sabe bien que Jesús mismo se presenta como Pastor de cien ovejas, no de noventa y nueve. Las quiere todas. A partir de esta consciencia, se hará posible que «a

---

[47] *Ibíd.*, 270: *AAS* 105 (2013), 1128.

[48] Bula *Misericordiae vultus* (11 abril 2015), 12: *AAS* 107 (2015), 407.

todos, creyentes y lejanos, pueda llegar el bálsamo de la misericordia como signo del Reino de Dios que está ya presente en medio de nosotros».[49]

310. No podemos olvidar que «la misericordia no es sólo el obrar del Padre, sino que ella se convierte en el criterio para saber quiénes son realmente sus verdaderos hijos. Así entonces, estamos llamados a vivir de misericordia, porque a nosotros en primer lugar se nos ha aplicado misericordia».[50] No es una propuesta romántica o una respuesta débil ante el amor de Dios, que siempre quiere promover a las personas, ya que «la misericordia es la viga maestra que sostiene la vida de la Iglesia. Todo en su acción pastoral debería estar revestido por la ternura con la que se dirige a los creyentes; nada en su anuncio y en su testimonio hacia el mundo puede carecer de misericordia».[51] Es verdad que a veces «nos comportamos como controladores de la gracia y no como facilitadores. Pero la Iglesia no es una aduana, es la casa paterna donde hay lugar para cada uno con su vida a cuestas».[52]

---

[49] *Ibíd.*, 5: 402.

[50] *Ibíd.*, 9: 405.

[51] *Ibíd.*, 10: 406.

[52] Exhort. ap. *Evangelii gaudium* (24 noviembre 2013), 47: *AAS* 105 (2013), 1040.

311. La enseñanza de la teología moral no debería dejar de incorporar estas consideraciones, porque, si bien es verdad que hay que cuidar la integridad de la enseñanza moral de la Iglesia, siempre se debe poner especial cuidado en destacar y alentar los valores más altos y centrales del Evangelio,[53] particularmente el primado de la caridad como respuesta a la iniciativa gratuita del amor de Dios. A veces nos cuesta mucho dar lugar en la pastoral al amor incondicional de Dios.[54] Ponemos tantas condiciones a la misericordia que la vaciamos de sentido concreto y de significación real, y esa es la peor manera de licuar el Evangelio. Es verdad, por ejemplo, que la misericordia no excluye la justicia y la verdad, pero ante todo tenemos que decir que la misericordia es la plenitud de la justicia y la manifestación más luminosa de la verdad de Dios. Por ello, siempre conviene considerar «inadecuada cualquier concepción teológica

---

[53] Cf. *ibíd.*, 36-37: *AAS* 105 (2013), 1035.

[54] Quizá por escrúpulo, oculto detrás de un gran deseo de fidelidad a la verdad, algunos sacerdotes exigen a los penitentes un propósito de enmienda sin sombra alguna, con lo cual la misericordia se esfuma debajo de la búsqueda de una justicia supuestamente pura. Por ello, vale la pena recordar la enseñanza de san Juan Pablo II, quien afirmaba que la previsibilidad de una nueva caída «no prejuzga la autenticidad del propósito»: *Carta al Card. William W. Baum y a los participantes del curso anual sobre el fuero interno organizado por la Penitenciaría Apostólica* (22 marzo 1996), 5: *L'Osservatore Romano*, ed. semanal en lengua española, 5 de abril de 1996, p. 4.

que en último término ponga en duda la omnipotencia de Dios y, en especial, su misericordia».[55]

312. Esto nos otorga un marco y un clima que nos impide desarrollar una fría moral de escritorio al hablar sobre los temas más delicados, y nos sitúa más bien en el contexto de un discernimiento pastoral cargado de amor misericordioso, que siempre se inclina a comprender, a perdonar, a acompañar, a esperar, y sobre todo a integrar. Esa es la lógica que debe predominar en la Iglesia, para «realizar la experiencia de abrir el corazón a cuantos viven en las más contradictorias periferias existenciales».[56] Invito a los fieles que están viviendo situaciones complejas, a que se acerquen con confianza a conversar con sus pastores o con laicos que viven entregados al Señor. No siempre encontrarán en ellos una confirmación de sus propias ideas o deseos, pero seguramente recibirán una luz que les permita comprender mejor lo que les sucede y podrán descubrir un camino de maduración personal. E invito a los pastores a escuchar con afecto y serenidad, con el deseo sincero de entrar en el corazón del drama de las personas y de comprender su punto de vista, para ayudarles a vivir mejor y a reconocer su propio lugar en la Iglesia.

---

[55] Comisión Teológica Internacional, *La esperanza de salvación para los niños que mueren sin bautismo* (19 abril 2007), 2.

[56] Bula *Misericordiae vultus* (11 abril 2015), 15: *AAS* 107 (2015), 409.

CAPÍTULO NOVENO

ESPIRITUALIDAD MATRIMONIAL Y FAMILIAR

313. La caridad adquiere matices diferentes, según el estado de vida al cual cada uno haya sido llamado. Hace ya varias décadas, cuando el Concilio Vaticano II se refería al apostolado de los laicos, destacaba la espiritualidad que brota de la vida familiar. Decía que la espiritualidad de los laicos «debe asumir características peculiares por razón del estado de matrimonio y de familia»[1] y que las preocupaciones familiares no deben ser algo ajeno «a su estilo de vida espiritual».[2] Entonces vale la pena que nos detengamos brevemente a describir algunas notas fundamentales de esta espiritualidad específica que se desarrolla en el dinamismo de las relaciones de la vida familiar.

---

[1] Decr. *Apostolicam actuositatem*, sobre el apostolado de los laicos, 4.
[2] *Ibíd.*

Espiritualidad de la comunión sobrenatural

314. Siempre hemos hablado de la inhabitación divina en el corazón de la persona que vive en gracia. Hoy podemos decir también que la Trinidad está presente en el templo de la comunión matrimonial. Así como habita en las alabanzas de su pueblo (cf. *Sal* 22, 4), vive íntimamente en el amor conyugal que le da gloria.

315. La presencia del Señor habita en la familia real y concreta, con todos sus sufrimientos, luchas, alegrías e intentos cotidianos. Cuando se vive en familia, allí es difícil fingir y mentir, no podemos mostrar una máscara. Si el amor anima esa autenticidad, el Señor reina allí con su gozo y su paz. La espiritualidad del amor familiar está hecha de miles de gestos reales y concretos. En esa variedad de dones y de encuentros que maduran la comunión, Dios tiene su morada. Esa entrega asocia «a la vez lo humano y lo divino»,[3] porque está llena del amor de Dios. En definitiva, la espiritualidad matrimonial es una espiritualidad del vínculo habitado por el amor divino.

316. Una comunión familiar bien vivida es un verdadero camino de santificación en la vida

---

[3] Conc. Ecum. Vat. II, Const. past. *Gaudium et spes*, sobre la Iglesia en el mundo actual, 49.

ordinaria y de crecimiento místico, un medio para la unión íntima con Dios. Porque las exigencias fraternas y comunitarias de la vida en familia son una ocasión para abrir más y más el corazón, y eso hace posible un encuentro con el Señor cada vez más pleno. Dice la Palabra de Dios que «quien aborrece a su hermano está en las tinieblas» (*1Jn* 2, 11), «permanece en la muerte» (*1Jn* 3, 14) y «no ha conocido a Dios» (*1Jn* 4, 8). Mi predecesor Benedicto XVI ha dicho que «cerrar los ojos ante el prójimo nos convierte también en ciegos ante Dios»,[4] y que el amor es en el fondo la única luz que «ilumina constantemente a un mundo oscuro».[5] Sólo «si nos amamos unos a otros, Dios permanece en nosotros, y su amor ha llegado en nosotros a su plenitud» (*1Jn* 4, 12). Puesto que «la persona humana tiene una innata y estructural dimensión social»,[6] y «la expresión primera y originaria de la dimensión social de la persona es el matrimonio y la familia»,[7] la espiritualidad se encarna en la comunión familiar. Entonces, quienes tienen hondos deseos espirituales no deben sentir que la familia los aleja del crecimiento en la vida del Espíritu,

---

[4] Carta enc. *Deus caritas est* (25 diciembre 2005), 16: *AAS* 98 (2006), 230.

[5] *Ibíd.*, 39: *AAS* 98 (2006), 250.

[6] Juan Pablo II, Exhort. ap. postsin. *Christifideles laici* (30 diciembre 1988), 40: *AAS* 81 (1989), 468.

[7] *Ibíd.*

sino que es un camino que el Señor utiliza para llevarles a las cumbres de la unión mística.

Juntos en oración a la luz de la Pascua

317. Si la familia logra concentrarse en Cristo, Él unifica e ilumina toda la vida familiar. Los dolores y las angustias se experimentan en comunión con la cruz del Señor, y el abrazo con Él permite sobrellevar los peores momentos. En los días amargos de la familia hay una unión con Jesús abandonado que puede evitar una ruptura. Las familias alcanzan poco a poco, «con la gracia del Espíritu Santo, su santidad a través de la vida matrimonial, participando también en el misterio de la cruz de Cristo, que transforma las dificultades y sufrimientos en una ofrenda de amor».[8] Por otra parte, los momentos de gozo, el descanso o la fiesta, y aun la sexualidad, se experimentan como una participación en la vida plena de su Resurrección. Los cónyuges conforman con diversos gestos cotidianos ese «espacio teologal en el que se puede experimentar la presencia mística del Señor resucitado».[9]

---

[8] *Relación final* 2015, 87.

[9] Juan Pablo II, Exhort. ap. Postsin. *Vita consecrata* (25 marzo 1996), 42: *AAS* 88 (1996), 416.

318. La oración en familia es un medio privilegiado para expresar y fortalecer esta fe pascual.[10] Se pueden encontrar unos minutos cada día para estar unidos ante el Señor vivo, decirle las cosas que preocupan, rogar por las necesidades familiares, orar por alguno que esté pasando un momento difícil, pedirle ayuda para amar, darle gracias por la vida y por las cosas buenas, pedirle a la Virgen que proteja con su manto de madre. Con palabras sencillas, ese momento de oración puede hacer muchísimo bien a la familia. Las diversas expresiones de la piedad popular son un tesoro de espiritualidad para muchas familias. El camino comunitario de oración alcanza su culminación participando juntos de la Eucaristía, especialmente en medio del reposo dominical. Jesús llama a la puerta de la familia para compartir con ella la cena eucarística (cf. *Ap* 3, 20). Allí, los esposos pueden volver siempre a sellar la alianza pascual que los ha unido y que refleja la Alianza que Dios selló con la humanidad en la Cruz.[11] La Eucaristía es el sacramento de la nueva Alianza donde se actualiza la acción redentora de Cristo (cf. *Lc* 22, 20). Así se advierten los lazos íntimos que existen entre la

---

[10] Cf. *Relación final* 2015, 87.

[11] Cf. Juan Pablo II, Exhort. ap. *Familiaris consortio* (22 noviembre 1981), 57: *AAS* 74 (1982), 150.

vida matrimonial y la Eucaristía.[12] El alimento de la Eucaristía es fuerza y estímulo para vivir cada día la alianza matrimonial como «iglesia doméstica».[13]

ESPIRITUALIDAD DEL AMOR EXCLUSIVO Y LIBRE

319. En el matrimonio se vive también el sentido de pertenecer por completo sólo a una persona. Los esposos asumen el desafío y el anhelo de envejecer y desgastarse juntos y así reflejan la fidelidad de Dios. Esta firme decisión, que marca un estilo de vida, es una «exigencia interior del pacto de amor conyugal»,[14] porque «quien no se decide a querer para siempre, es difícil que pueda amar de veras un solo día».[15] Pero esto no tendría sentido espiritual si se tratara sólo de una ley vivida con resignación. Es una pertenencia del corazón, allí donde sólo Dios ve (cf. *Mt* 5, 28). Cada mañana, al levantarse, se vuelve a tomar ante Dios esta decisión de fidelidad, pase lo que pase a lo largo de

---

[12] No olvidemos que la Alianza de Dios con su pueblo se expresa como un desposorio (cf. *Ez* 16, 8.60; *Is* 62, 5; *Os* 2, 21-22), y la nueva Alianza también se presenta como un matrimonio (cf. *Ap* 19, 7; 21, 2; *Ef* 5, 25).

[13] CONC. ECUM. VAT. II, Const. dogm. *Lumen gentium*, sobre la Iglesia, 11.

[14] JUAN PABLO II, Exhort. ap. *Familiaris consortio* (22 noviembre 1981), 11: *AAS* 74 (1982), 93.

[15] ID., *Homilía en la Eucaristía celebrada para las familias en Córdoba, Argentina* (8 abril 1987), 4: *L'Osservatore Romano*, ed. semanal en lengua española, 26 de abril de 1987, p. 21.

la jornada. Y cada uno, cuando va a dormir, espera levantarse para continuar esta aventura, confiando en la ayuda del Señor. Así, cada cónyuge es para el otro signo e instrumento de la cercanía del Señor, que no nos deja solos: «Yo estoy con ustedes todos los días, hasta el fin del mundo» (*Mt* 28, 20).

320. Hay un punto donde el amor de la pareja alcanza su mayor liberación y se convierte en un espacio de sana autonomía: cuando cada uno descubre que el otro no es suyo, sino que tiene un dueño mucho más importante, su único Señor. Nadie más puede pretender tomar posesión de la intimidad más personal y secreta del ser amado y sólo él puede ocupar el centro de su vida. Al mismo tiempo, el principio de realismo espiritual hace que el cónyuge ya no pretenda que el otro sacie completamente sus necesidades. Es preciso que el camino espiritual de cada uno —como bien indicaba Dietrich Bonhoeffer— le ayude a «desilusionarse» del otro,[16] a dejar de esperar de esa persona lo que sólo es propio del amor de Dios. Esto exige un despojo interior. El espacio exclusivo que cada uno de los cónyuges reserva a su trato solitario con Dios, no sólo permite sanar las heridas de la convivencia, sino que posibilita encontrar en el amor de Dios el sentido de la propia existencia.

---

[16] Cf. *Gemeinsames Leben*, Múnich 1973[14], 18.

Necesitamos invocar cada día la acción del Espíritu para que esta libertad interior sea posible.

Espiritualidad del cuidado, del consuelo y del estímulo

321. «Los esposos cristianos son mutuamente para sí, para sus hijos y para los restantes familiares, cooperadores de la gracia y testigos de la fe».[17] Dios los llama a engendrar y a cuidar. Por eso mismo, la familia «ha sido siempre el "hospital" más cercano».[18] Curémonos, contengámonos y estimulémonos unos a otros, y vivámoslo como parte de nuestra espiritualidad familiar. La vida en pareja es una participación en la obra fecunda de Dios, y cada uno es para el otro una permanente provocación del Espíritu. El amor de Dios se expresa «a través de las palabras vivas y concretas con que el hombre y la mujer se declaran su amor conyugal».[19] Así, los dos son entre sí reflejos del amor divino que consuela con la palabra, la mirada, la ayuda, la caricia, el abrazo. Por eso, «querer formar una familia es animarse a ser parte

---

[17] Conc. Ecum. Vat. II, Decr. *Apostolicam actuositatem*, sobre el apostolado de los laicos, 11.

[18] *Catequesis* (10 junio 2015): *L'Osservatore Romano*, ed. semanal en lengua española, 12 de junio de 2015, p. 16.

[19] Juan Pablo II, Exhort. ap. *Familiaris consortio* (22 noviembre 1981), 12: *AAS* 74 (1982), 93.

del sueño de Dios, es animarse a soñar con él, es animarse a construir con él, es animarse a jugarse con él esta historia de construir un mundo donde nadie se sienta solo».[20]

322. Toda la vida de la familia es un «pastoreo» misericordioso. Cada uno, con cuidado, pinta y escribe en la vida del otro: «Ustedes son nuestra carta, escrita en nuestros corazones [...] no con tinta, sino con el Espíritu de Dios vivo» (*2Co* 3, 2-3). Cada uno es un «pescador de hombres» (*Lc* 5, 10) que, en el nombre de Jesús, «echa las redes» (cf. *Lc* 5, 5) en los demás, o un labrador que trabaja en esa tierra fresca que son sus seres amados, estimulando lo mejor de ellos. La fecundidad matrimonial implica promover, porque «amar a un ser es esperar de él algo indefinible e imprevisible; y es, al mismo tiempo, proporcionarle de alguna manera el medio de responder a esta espera».[21] Esto es un culto a Dios, porque es Él quien sembró muchas cosas buenas en los demás esperando que las hagamos crecer.

323. Es una honda experiencia espiritual contemplar a cada ser querido con los ojos de Dios

---

[20] *Discurso en la Fiesta de las Familias y vigilia de oración en Filadelfia* (26 septiembre 2015): *L'Osservatore Romano*, ed. semanal en lengua española, 2 de octubre de 2015, p. 16.

[21] GABRIEL MARCEL, *Homo viator: prolégomènes à une métaphysique de l'espérance*, París 1944, 63.

y reconocer a Cristo en él. Esto reclama una disponibilidad gratuita que permita valorar su dignidad. Se puede estar plenamente presente ante el otro si uno se entrega «porque sí», olvidando todo lo que hay alrededor. El ser amado merece toda la atención. Jesús era un modelo porque, cuando alguien se acercaba a conversar con él, detenía su mirada, miraba con amor (cf. Mc 10, 21). Nadie se sentía desatendido en su presencia, ya que sus palabras y gestos eran expresión de esta pregunta: «¿Qué quieres que haga por ti?» (Mc 10, 51). Eso se vive en medio de la vida cotidiana de la familia. Allí recordamos que esa persona que vive con nosotros lo merece todo, ya que posee una dignidad infinita por ser objeto del amor inmenso del Padre. Así brota la ternura, capaz de «suscitar en el otro el gozo de sentirse amado. Se expresa, en particular, al dirigirse con atención exquisita a los límites del otro, especialmente cuando se presentan de manera evidente».[22]

324. Bajo el impulso del Espíritu, el núcleo familiar no sólo acoge la vida generándola en su propio seno, sino que se abre, sale de sí para derramar su bien en otros, para cuidarlos y buscar su felicidad. Esta apertura se expresa particularmente

---

[22] *Relación final* 2015, 88.

en la hospitalidad,[23] alentada por la Palabra de Dios de un modo sugestivo: «No olviden la hospitalidad: por ella algunos, sin saberlo, hospedaron a ángeles» (*Hb* 13, 2). Cuando la familia acoge y sale hacia los demás, especialmente hacia los pobres y abandonados, es «símbolo, testimonio y participación de la maternidad de la Iglesia».[24] El amor social, reflejo de la Trinidad, es en realidad lo que unifica el sentido espiritual de la familia y su misión fuera de sí, porque hace presente el *kerygma* con todas sus exigencias comunitarias. La familia vive su espiritualidad propia siendo al mismo tiempo una iglesia doméstica y una célula vital para transformar el mundo.[25]

* * *

325. Las palabras del Maestro (cf. *Mt* 22, 30) y las de san Pablo (cf. *1Co* 7, 29-31) sobre el matrimonio, están insertas —no casualmente— en la dimensión última y definitiva de nuestra existencia, que necesitamos recuperar. De ese modo, los matrimonios podrán reconocer el sentido del camino que están recorriendo. Porque, como recordamos

---

[23] Cf. JUAN PABLO II, Exhort. ap. *Familiaris consortio* (22 noviembre 1981), 44: *AAS* 74 (1982), 136.

[24] *Ibíd.*, 49: *AAS* 74 (1982), 141.

[25] Sobre los aspectos sociales de la familia: cf. PONTIFICIO CONSEJO «JUSTICIA Y PAZ», *Compendio de la Doctrina Social de la Iglesia*, 248-254.

varias veces en esta Exhortación, ninguna familia es una realidad celestial y confeccionada de una vez para siempre, sino que requiere una progresiva maduración de su capacidad de amar. Hay un llamado constante que viene de la comunión plena de la Trinidad, de la unión preciosa entre Cristo y su Iglesia, de esa comunidad tan bella que es la familia de Nazaret y de la fraternidad sin manchas que existe entre los santos del cielo. Pero además, contemplar la plenitud que todavía no alcanzamos, nos permite relativizar el recorrido histórico que estamos haciendo como familias, para dejar de exigir a las relaciones interpersonales una perfección, una pureza de intenciones y una coherencia que sólo podremos encontrar en el Reino definitivo. También nos impide juzgar con dureza a quienes viven en condiciones de mucha fragilidad. Todos estamos llamados a mantener viva la tensión hacia un más allá de nosotros mismos y de nuestros límites, y cada familia debe vivir en ese estímulo constante. Caminemos familias, sigamos caminando. Lo que se nos promete es siempre más. No desesperemos por nuestros límites, pero tampoco renunciemos a buscar la plenitud de amor y de comunión que se nos ha prometido.

Oración a la Sagrada Familia

Jesús, María y José
en ustedes contemplamos
el esplendor del verdadero amor,
a ustedes, confiados, nos dirigimos.

Santa Familia de Nazaret,
haz también de nuestras familias
lugar de comunión y cenáculo de oración,
auténticas escuelas del Evangelio
y pequeñas iglesias domésticas.

Santa Familia de Nazaret,
que nunca más haya en las familias episodios
de violencia, de cerrazón y división;
que quien haya sido herido o escandalizado
sea pronto consolado y curado.

Santa Familia de Nazaret,
haz tomar conciencia a todos
del carácter sagrado e inviolable de la familia,
de su belleza en el proyecto de Dios.
Jesús, María y José,
escuchen, acojan nuestra súplica.

Amén.

Dado en Roma, junto a San Pedro, en el Jubileo extraordinario de la Misericordia, el 19 de marzo, solemnidad de san José, del año 2016, cuarto de mi Pontificado.

Franciscus

ÍNDICE

Capítulo cuarto

EL AMOR EN EL MATRIMONIO [89]

Capítulo quinto

AMOR QUE SE VUELVE FECUNDO [165]

Capítulo sexto

ALGUNAS PERSPECTIVAS PASTORALES [199]

Capítulo séptimo

FORTALECER LA EDUCACIÓN DE LOS HIJOS [259]

Capítulo octavo

ACOMPAÑAR, DISCERNIR E INTEGRAR LA FRAGILIDAD [291-292]

Capítulo noveno

ESPIRITUALIDAD MATRIMONIAL Y FAMILIAR [313]

TALLER SAN PABLO
BOGOTÁ
IMPRESO EN COLOMBIA - PRINTED IN COLOMBIA